C0-ALA-883

Carlos Ruiz Zafón

Marina

Carlos Ruiz Zafón

Marina

Tradução
Maria do Carmo Abreu

3.ª edição

Grupo Planeta

PLANETA MANUSCRITO
Rua do Loreto, n.º 16 – 1.º Direito
1200-242 Lisboa • Portugal

Título original: *Marina*

Revisão: Eulália Pyrrait

Paginação: Tiago Ferreira

1.ª edição: Setembro de 2010
3.ª edição: Setembro de 2010

Depósito legal n.º 317 390/10

Impressão e acabamento: Guide – Artes Gráficas

ISBN: 978-989-657-119-1

www.planeta.pt

Amigo leitor

Sempre acreditei que todo o escritor, admita-o ou não, tem entre os seus livros alguns como favoritos. Essa predilecção é raro ter a ver com o valor literário intrínseco da obra ou com o acolhimento que ao aparecer lhe dispensaram os leitores ou com a fortuna ou penúria que lhe tenha proporcionado a sua publicação. Por qualquer estranha razão, sentimo-nos mais próximos de algumas das nossas criaturas sem sabermos explicar muito bem o porquê. De todos os livros que publiquei desde que comecei neste estranho ofício de romancista, lá por 1992, *Marina* é um dos meus favoritos.

Escrevi o romance em Los Angeles, entre 1996 e 1997. Tinha nessa altura quase trinta e três anos e começava a suspeitar que aquilo que um abençoado qualquer chamou a primeira juventude me estava a escapar das mãos à velocidade de cruzeiro. Publicara anteriormente três romances para jovens e pouco depois de embarcar na composição de *Marina* tive a certeza de que esta seria a última do género que escreveria. À medida que avançava na escrita, tudo naquela história começou a ter sabor a despedida e, quando a terminei, tive a impressão de que qualquer coisa dentro de mim, qualquer coisa que ainda hoje não sei muito bem o que era, mas de que sinto falta dia a dia, ficou ali para sempre.

Marina é possivelmente o mais indefinível e difícil de catalogar de todos os romances que escrevi, e talvez o mais pessoal. Ironicamente, a sua publicação foi a que mais dissabores me provocou. O romance sobreviveu a dez anos de edições péssimas e com frequência fraudulentas, que em algumas ocasiões, sem que eu pudesse fazer grande coisa para o evitar, confundiram muitos leitores ao apresentar o romance como o que não era. E, mesmo assim, leitores de todas as idades e condições sociais continuam a descobrir algo nas suas páginas e a aceder a essa água-furtada da alma de que nos fala o seu narrador, Óscar.

Marina regressa por fim a casa, e o relato que Óscar terminou por ela podem descobri-lo agora os leitores, pela primeira vez, nas condições que o seu autor sempre desejou. Talvez agora, com a sua ajuda, eu seja capaz de entender por que razão este romance continua a estar tão presente na minha memória como no dia em que o acabei de escrever, e saiba recordar, como diria Marina, o que nunca sucedeu.

Barcelona, Junho de 2008.

C. R. Z.

Marina disse-me uma vez que apenas recordamos o que nunca aconteceu. Passaria uma eternidade antes que compreendesse aquelas palavras. Mas mais vale começar pelo princípio, que neste caso é o fim.

Em Maio de 1980 desapareci do mundo durante uma semana. No espaço de sete dias e sete noites, ninguém soube do meu paradeiro. Amigos, companheiros, professores e até a polícia lançaram-se na busca daquele fugitivo que alguns já julgavam morto ou perdido por ruas de má fama como num lapso de amnésia.

Uma semana mais tarde, um polícia à paisana julgou reconhecer aquele rapaz; a descrição condizia. O suspeito vagueava pela estação de Francia como uma alma perdida numa catedral forjada de ferro e nevoeiro. O agente aproximou-se de mim com ar de romance negro. Perguntou-me se o meu nome era Óscar Drai e se era eu o rapaz que desaparecera sem deixar rasto do internato onde estudava. Assenti sem descerrar os lábios. Recordo o reflexo da abóbada da estação no vidro dos seus óculos.

Sentámo-nos num banco do cais. O polícia acendeu um cigarro com calma. Deixou-o queimar sem o levar aos lábios. Disse-me que havia uma grande quantidade de pessoas à espera de me fazer muitas perguntas para as quais era conveniente que tivesse boas respostas.

Assenti de novo. Olhou-me nos olhos, estudando-me. «Às vezes, contar a verdade não é uma boa ideia, Óscar», disse. Estendeu-me umas moedas e pediu-me que telefonasse ao meu tutor no internato. Assim fiz. O polícia esperou que tivesse feito a chamada. Depois, deu-me dinheiro para um táxi e desejou-me sorte. Perguntei-lhe como sabia que não ia desaparecer de novo. Observou-me longamente. «Só desaparecem as pessoas que têm algum lugar para onde ir», respondeu apenas. Acompanhou-me até à rua e ali se despediu, sem perguntar onde tinha estado. Vi-o afastar-se pelo Paseo Colón. O fumo do seu cigarro intacto seguia-o como um cão fiel.

Naquele dia, o fantasma de Gaudí esculpia no céu de Barcelona nuvens impossíveis sobre um azul que fundia o olhar. Apanhei um táxi até ao internato, onde supus que me esperaria o pelotão de fuzilamento.

Durante quatro semanas, professores e psicólogos escolares atormentaram-me para que revelasse o meu segredo. Menti e ofereci a cada um aquilo que queria ouvir ou o que podia aceitar. Com o tempo, todos se esforçaram por fingir que tinham esquecido aquele episódio. Segui o seu exemplo. Nunca expliquei a ninguém a verdade do que sucedera.

Não sabia então que o oceano do tempo mais tarde ou mais cedo nos devolve as recordações que nele enterramos. Quinze anos mais tarde, a memória daquele dia voltou até mim. Vi aquele rapaz a vaguear por entre as brumas da estação de Francia e o nome de Marina tornou-se de novo incandescente como uma ferida fresca.

Todos temos um segredo fechado à chave nas águas-furtadas da alma. Este é o meu.

Capítulo 1

No fim da década de 1970, Barcelona era uma miragem de avenidas e becos onde se podia viajar trinta ou quarenta anos para o passado com o simples acto de passar o umbral de uma portaria ou de um café. O tempo e a memória, história e ficção, fundiam-se naquela cidade feiticeira como aguarelas à chuva. Foi ali, no eco de ruas que já não existem, que catedrais e edifícios fugidos de fábulas criaram o cenário desta história.

Nessa altura eu era um rapaz de quinze anos que languescia entre as paredes de um internato com nome de santo na beira da estrada de Vallvidrera. Naqueles dias, o bairro de Sarriá conservava ainda o aspecto de pequena povoação fundeada na margem de uma metrópole modernista. O meu colégio erguia-se no cimo de uma rua que trepava do Paseo de la Bonanova. A sua monumental fachada sugeria mais um castelo do que uma escola. A angulosa silhueta cor de argila era um quebra-cabeças de torreões, arcos e asas nas trevas.

O colégio estava rodeado por uma cidadela de jardins, fontes, lagos lodosos, pátios e pinhais encantados. Em torno dele, edifícios sombrios albergavam piscinas veladas por vapor fantasmagórico, ginásios embruxados de silêncio e capelas tenebrosas, onde imagens de santos sorriam ao clarão das velas. O edifício tinha quatro andares, sem contar com as duas caves e um sótão de clausura, onde viviam os poucos sacerdotes que ainda trabalhavam como professores. Os quartos dos internos ficavam situados ao longo de corredores cavernosos no quarto andar. Estas intermináveis galerias jaziam em perpétua penumbra, sempre envoltas num eco espectral.

Eu passava dias sonhando acordado nas aulas daquele imenso castelo, esperando o milagre que se verificava todos os dias às cinco e vinte da tarde. A essa hora mágica, o sol vestia de ouro líquido as altas janelas. Soava a campainha que anunciava o fim das aulas e os internos gozavam de quase três horas livres antes do jantar na grande sala de refeições. A ideia era que esse tempo devia ser dedicado ao estudo e à reflexão espiritual. Não me lembro de me ter entregue a nenhuma dessas nobres tarefas um único dia dos que ali passei.

Aquele era o meu momento favorito. Escapando ao controlo da portaria, partia a explorar a cidade. Habituei-me a regressar ao internato exactamente a tempo do jantar, vagueando por entre velhas ruas e avenidas enquanto anoitecia à minha volta. Naqueles longos passeios experimentava uma sensação de liberdade embriagadora. A minha imaginação voava sobre os edifícios e elevava-se ao céu. Durante umas horas, as ruas de Barcelona, o internato e o meu lúgubre quarto no último andar desapareciam. Durante umas horas, apenas com algumas moedas no bolso, era o homem mais feliz do universo.

Com frequência, a minha rota levava-me pelo que então se chamava o deserto de Sarriá, que mais não era do que o âmago de um bosque perdido em terra-de-ninguém. A maioria das antigas mansões senhoriais que na sua época tinham povoado o norte do Paseo de la Bonanova mantinha-se ainda em pé, mesmo que fossem apenas ruínas. As ruas que rodeavam o internato desenhavam uma cidade-fantasma. Muros cobertos de hera vedavam a passagem para jardins selvagens onde se erguiam monumentais residências. Palácios invadidos pelo mato e pelo abandono em que a memória parecia flutuar, como neblina que resiste a partir. Muitos desses casarões aguardavam a demolição e outros tinham sido saqueados durante anos. Alguns, no entanto, ainda estavam habitados.

Os seus ocupantes eram os membros esquecidos de estirpes arruinadas. Gente cujo nome aparecia escrito a quatro colunas no *La Vanguardia* quando os eléctricos ainda provocavam o receio dos inventos modernos. Reféns do seu passado moribundo, que se negavam a abandonar as naves à deriva. Receavam que, se ousassem pôr os pés fora das mansões envelhecidas, os seus corpos se desfizessem em cinzas ao vento. Prisioneiros, definhavam à luz dos candelabros. Às vezes, quando passava em frente daqueles gradeamentos enferrujados em passo apressado, parecia-me sentir olhares desconfiados nas persianas sem pintura.

Uma tarde, no fim de Setembro de 1979, decidi aventurar-me ao acaso numa daquelas avenidas semeadas de palacetes modernistas em que não reparara até então. A rua descrevia uma curva que acabava num gradeamento igual a muitos outros. Do outro lado estendiam-se os restos de um velho jardim marcado por décadas de abandono. Por entre a vegetação notava-se o perfil de uma mansão de dois andares. A sua sombria fachada erguia-se por detrás de uma fonte com esculturas, que o tempo vestira de musgo.

Começava a escurecer e aquele lugar pareceu-me um tanto sinistro. Rodeado por um silêncio mortal, apenas a brisa sussurrava um aviso sem palavras. Compreendi que me metera numa das zonas «mortas» do bairro. Decidi que o melhor era voltar para trás pelo mesmo caminho e regressar ao internato. Debatia-me entre a fascinação mórbida por aquele lugar esquecido e o senso comum, quando notei dois brilhantes olhos amarelos fulgurando na penumbra, cravados em mim como adagas. Engoli em seco.

A pelagem cinzenta e aveludada de um gato recortava-se imóvel em frente do gradeamento do casarão. Um pequeno pardal agonizava entre as suas goelas. Um guizo prateado pendia do pescoço do felino. O seu olhar estudou-me durante uns segundos. Pouco depois, deu meia volta e deslizou por entre as grades de metal. Vi-o perder-se na imensidão daquele éden maldito, levando o pardal na sua última viagem.

A visão daquela pequena fera altiva e desafiadora seduziu-me. A julgar pela lustrosa pelagem e pelo guizo, intuí que tinha dono. Talvez aquele edifício albergasse algo mais do que os fantasmas de uma Barcelona desaparecida. Aproximei-me e pousei as mãos nas grades da entrada. O metal estava frio. Os últimos clarões do crepúsculo iluminavam o rasto que as gotas de sangue do pardal deixaram através daquela selva. Pérolas escarlates traçando a rota no labirinto. Engoli em seco outra vez. Melhor dizendo, tentei. Tinha a boca seca. O sangue, como se soubesse algo que eu ignorava, batia-me nas têmporas com força. Foi então que senti ceder a porta sob o meu peso e compreendi que estava aberta.

Quando dei o primeiro passo para o interior, a lua iluminava o rosto pálido dos anjos de pedra da fonte. Observavam-me. Ficara com os pés cravados no chão. Esperava que aqueles seres saltassem dos seus pedestais e se transformassem em demónios dotados de garras de lobo e línguas de serpente. Não aconteceu nada disso. Respirei profundamente, considerando a possibilidade de anular a minha imaginação ou, melhor ainda, abandonar a minha tímida exploração daquela propriedade. Uma vez mais, alguém decidiu por mim. Um som celestial invadiu as sombras do jardim como um perfume. Ouvi os contornos daquele sussurro cinzelar uma área acompanhada ao piano. Era a voz mais bonita que jamais ouvira.

A melodia era-me familiar, mas não consegui reconhecê-la. A música provinha da mansão. Segui o seu rasto hipnótico. Lâminas de luz vaporosa filtravam-se pela porta entreaberta de uma galeria de vidro. Reconheci os olhos do gato, fixos em mim do parapeito de uma janela do primeiro andar. Aproximei-me da galeria iluminada de onde brotava aquele som indescritível. A voz de uma mulher. O clarão ténue de cem velas tremeluzia no interior. O brilho descobria a campânula dourada de um velho gramofone onde girava um disco. Sem pensar no que estava a fazer, surpreendi-me a mim mesmo penetrando na galeria, cativado por aquela sereia guardada no gramofone. Na mesa sobre a qual estava pousado o aparelho distingui um objecto brilhante e redondo. Era um relógio de bolso. Peguei-lhe e examinei-o à luz das velas. Os ponteiros estavam parados e o mostrador rachado. Pareceu-me de ouro e tão velho como a casa em que me encontrava. Um pouco mais adiante havia uma grande poltrona, de costas para mim, em frente de um fogão de sala sobre o qual pude apreciar um retrato a óleo de uma mulher vestida de branco. Os seus grandes olhos cinzentos, tristes e sem fundo, presidiam à sala.

Subitamente, quebrou-se o feitiço. Uma silhueta ergueu-se da poltrona e voltou-se para mim. Uma longa cabeleira branca e uns olhos ardentes como brasas brilharam na obscuridade. Só consegui ver duas imensas mãos brancas estendendo-se para mim. Dominado pelo pânico, desatei a correr para a porta, no caminho esbarrei com o gramofone e derrubei-o. Ouvi a agulha lacerar o disco. A voz celestial quebrou-se com um gemido infernal. Lancei-me para o jardim, sentindo aquelas mãos roçando-me a camisa, e atravessei-o com asas nos pés e o medo a arder em cada poro do meu corpo. Não parei nem um instante. Corri e corri sem olhar para trás até que uma pontada de dor me apunhalou as costas e compreendi que mal podia respirar. Nessa altura estava coberto de suor frio e as luzes do internato brilhavam trinta metros à frente.

Deslizei por uma porta ao lado das cozinhas que nunca estava vigiada e arrastei-me até ao meu quarto. Os restantes internos já deviam estar no refeitório há um bocado. Limpei o suor da testa e, pouco a pouco, o meu coração recuperou o ritmo habitual. Começava a acalmar-me quando alguém bateu à porta do quarto com os nós dos dedos.

– Óscar, são horas de descer para jantar – soou a voz de um dos tutores, um jesuíta racionalista chamado Seguí, que detestava ter de fazer de polícia.

– Vou já, padre – respondi. – Um segundo.

Apressei-me a vestir o casaco obrigatório e apaguei a luz do quarto. Através da janela, o espectro da Lua erguia-se sobre Barcelona. Só então me apercebi que ainda segurava na mão o relógio de ouro.

Capítulo 2

Nos dias que se seguiram, o danado relógio e eu tornámo-nos companheiros inseparáveis. Levava-o para todo o lado, inclusive dormia com ele debaixo da almofada, receoso de que alguém o encontrasse e me perguntasse onde o arranjara. Não teria sabido o que responder. *Isso é porque não o encontraste; roubaste-o*, sussurrava-me uma voz acusadora. *O termo técnico é roubo e invasão de domicílio*, acrescentava aquela voz que, por qualquer estranha razão, tinha uma parecença suspeita com a do actor que dobrava Perry Mason.

Esperava pacientemente todas as noites até que os meus companheiros adormecessem para examinar o meu tesouro particular. Com a chegada do silêncio, estudava o relógio à luz de uma lanterna. Nem toda a culpa do mundo teria conseguido fazer diminuir a fascinação que me provocava o troféu da minha primeira aventura no «crime desorganizado». O relógio era pesado e parecia feito de ouro maciço. O quebrado mostrador de vidro sugeria uma pancada ou uma queda. Supus que tivesse sido aquele impacte que acabara com a vida do seu mecanismo e congelara os ponteiros nas seis e vinte e três, condenados para sempre. Na parte posterior lia-se uma inscrição:

Para Germán, em quem fala a luz.
K. A.
19-1-1964

Ocorreu-me que aquele relógio devia valer um dinheirão e os remorsos não tardaram a visitar-me. Aquelas palavras gravadas faziam-me sentir como um ladrão de recordações.

Numa quinta-feira tingida de chuva decidi partilhar o segredo. O meu melhor amigo no internato era um rapaz de olhos penetrantes e temperamento nervoso que insistia em ser chamado pelas iniciais JF, apesar de terem pouco ou nada a ver com o seu nome real. JF tinha alma de poeta libertário e um talento tão afiado que com frequência acabava por cortar a língua com ele. Era de constituição débil e bastava mencionar a palavra *micróbio* no raio de um quilómetro para ficar convencido de que apanhara uma infecção. Uma vez procurei num dicionário o termo *hipocondríaco* e tirei uma cópia.

– Não sei se sabias, mas a tua biografia vem no *Dicionário da Real Academia* – anunciei-lhe.

Deu uma vista de olhos à fotocópia e lançou-me um olhar acerado.

– Experimenta procurar no «i» de idiota e verás que não sou o único famoso – replicou JF.

Naquele dia, à hora do intervalo do meio-dia, JF e eu deslizámos para a tenebrosa sala de festas. Os nossos passos no corredor central acordavam o eco de cem sombras andando em pontas dos pés. Dois feixes de luz acerada caíam sobre o palco poeirento. Sentámo-nos naquela zona de luz, em frente das filas de cadeiras vazias que se fundiam na penumbra. O sussurro da chuva arranhava as janelas do primeiro andar.

– Bem – espetou JF –, a que vem tanto mistério?

Sem palavras, puxei do relógio e estendi-lho. JF ergueu as sobrancelhas e avaliou o objecto. Observou-o cuidadosamente durante uns instantes antes de mo devolver com um olhar intrigado.

– O que te parece? – perguntei.

– Parece-me um relógio – replicou JF. – Quem é esse tal Germán?

– Não faço a mínima ideia.

Tratei de lhe contar com pormenor a minha aventura de dias antes naquele casarão desconjuntado. JF ouviu com atenção a descrição dos factos com a paciência e atenção quase científica que o caracterizavam. No fim da minha narrativa, pareceu avaliar o assunto antes de expressar as suas primeiras impressões.

– Ou seja, roubaste-o – concluiu.

– Não é essa a questão – objectei.

– Deveria ver-se qual é a opinião do tal Germán – argumentou JF.

– O tal Germán provavelmente está morto há anos – sugeri, sem muita convicção.

JF coçou o queixo.

– Pergunto-me o que dirá o Código Penal acerca do roubo premeditado de objectos pessoais e relógios com dedicatória... – disse o meu amigo.

– Não houve premeditação nem história nenhuma – protestei. – Aconteceu tudo de repente, sem eu ter tempo de pensar. Quando dei conta de que tinha o relógio, já era tarde. No meu lugar terias feito o mesmo.

– No teu lugar teria sofrido uma paragem cardíaca – precisou JF, que era mais homem de palavra do que de acção. – Supondo que tivesse sido suficientemente louco para me meter nesse casarão seguindo um gato luciferino. Vá-se lá saber que tipo de germens se podem apanhar de um bicho desses.

Permanecemos em silêncio durante uns segundos, ouvindo o eco distante da chuva.

– Bem – concluiu JF –, o que está feito, está feito. Não pensas lá voltar, não é verdade?

Sorri.

– Só, não.

Os olhos do meu amigo abriram-se desmesurados.

– Ah, não! Nem pensar!

Naquela mesma tarde, no fim das aulas, JF e eu escapulimo-nos pela porta das cozinhas e seguimos por aquela misteriosa rua que ia dar ao palacete. O empedrado estava cheio de poças de água e folhada. Um céu ameaçador cobria a cidade. JF, que se sentia cheio de medo, estava mais pálido do que de costume. A visão daquele lugar mergulhado no passado reduzia-lhe o estômago ao tamanho de um berlinde. O silêncio era ensurdecedor.

– Creio que o melhor é darmos meia volta e desandarmos daqui – murmurou, retrocedendo uns passos.

– Não sejas galinha.

– As pessoas não avaliam as galinhas pelo que valem. Sem elas, não haveria ovos, nem...

Subitamente, o tilintar de um guizo espalhou-se pelo vento. JF emudeceu. Os olhos amarelos do gato observavam-nos. De repente, o animal sibilou como uma serpente e deitou as garras de fora. Eriçaram-se-lhe os pêlos do lombo e a boca mostrou-nos os mesmos dentes que dias antes tinham tirado a vida a um pardal. Um relâmpago longínquo acendeu uma clareira de luz na abóbada do céu. JF e eu trocámos um olhar.

Quinze minutos mais tarde, estávamos sentados num banco junto ao lago do claustro do internato. O relógio continuava no bolso do meu casaco. Mais pesado do que nunca.

Ali permaneceu o resto da semana até à madrugada de sábado. Pouco antes da alvorada, acordei com a vaga sensação de ter sonhado com a voz presa no gramofone. Para além da minha janela, Barcelona incendiava-se numa tela de sombras escarlate, um bosque de antenas e águas-furtadas. Saltei da cama e procurei o maldito relógio que me enfeitiçara a existência durante os últimos dias. Olhámo-nos um ao outro. Por fim, armei-me da determinação que só conseguimos quando temos de enfrentar tarefas absurdas e decidi-me a pôr termo àquela situação. Ia devolvê-lo.

Vesti-me em silêncio e atravessei em pontas dos pés o escuro corredor do quarto andar. Ninguém notaria a minha ausência até às dez ou onze da manhã. Esperava nessa altura já estar de volta.

No exterior, as ruas jaziam sob o nebuloso manto púrpura que envolve as madrugadas de Barcelona. Desci até à Calle Margenat. Sarriá despertava à minha volta. Nuvens baixas emolduravam o bairro, captando as primeiras claridades num halo dourado. As fachadas das casas desenhavam-se por entre os resquícios de neblina e as folhas secas que voavam sem rumo.

Não demorei a encontrar a rua. Detive-me um instante para absorver aquele silêncio, aquela estranha paz que reinava naquele recanto perdido da cidade. Começava a sentir que o mundo se detivera com o relógio que levava no bolso, quando ouvi um som atrás de mim.

Voltei-me e presenciei uma visão roubada a um sonho.

Capítulo 3

Uma bicicleta emergia lentamente da bruma. Uma rapariga, de vestido branco, avançava pela ladeira pedalando na minha direcção. A contraluz da madrugada permitia adivinhar a silhueta do seu corpo através do tecido. Uma longa cabeleira cor de palha ondulava, velando-lhe o rosto. Permaneci ali imóvel, vendo-a aproximar-se de mim, como um imbecil com um ataque de paralisia. A bicicleta deteve-se a alguns metros. Os meus olhos, ou a minha imaginação, intuíram o contorno de umas esbeltas pernas ao pousar no chão. O meu olhar subiu por aquele vestido saído de um quadro de Sorolla[1] até se deter nos olhos, de um cinzento tão profundo que seria possível mergulhar nele. Estavam cravados em mim com uma expressão sarcástica. Sorri e ofereci-lhe a minha melhor cara de idiota.

– Deves ser o do relógio – disse a rapariga, num tom conforme com a força do seu olhar.

Calculei que devia ter a minha idade, talvez um ano mais. Adivinhar a idade de uma mulher era, para mim, uma arte ou uma ciência, nunca um passatempo. A pele era tão pálida como o vestido.

---

[1] Sorolla – pintor e artista gráfico espanhol impressionista do final do século XIX e início do XX. (*N. da T.*)

– Vives aqui? – balbuciei, apontando o gradeamento.

Mal pestanejou. Aqueles dois olhos perfuravam-me com tal fúria que havia de demorar algumas horas até me aperceber de que, pelo que me dizia respeito, aquela era a criatura mais deslumbrante que vira na minha vida ou esperava ver. Ponto final.

– E quem és tu, para perguntar?

– Suponho que sou o do relógio – improvisei. – Chamo-me Óscar. Óscar Drai. Vim devolvê-lo.

Sem lhe dar tempo a replicar, tirei-o do bolso e estendi-lho. A rapariga sustentou o meu olhar durante uns segundos antes de lhe pegar. Ao fazê-lo, notei que a sua mão era tão branca como a de um boneco de neve e exibia um anel dourado no anular.

– Já estava partido quando lhe peguei – expliquei.

– Está partido há quinze anos – murmurou, sem olhar para mim.

Quando por fim ergueu o olhar, foi para me examinar de cima a baixo, como quem avalia um móvel antigo ou um traste velho. Algo nos seus olhos me disse que acreditava muito na minha categoria de ladrão; provavelmente estava a catalogar-me na secção de cretino ou de parvo vulgar. A cara de iluminado que eu exibia não ajudava muito. A rapariga ergueu uma sobrancelha ao mesmo tempo que sorria enigmática e estendeu-me o relógio de volta.

– Tu o levaste, tu o devolverás ao dono.

– Mas…

– O relógio não é meu – explicou-me a rapariga. – É de Germán.

A menção daquele nome convocou a visão da enorme silhueta de cabeleira branca que me surpreendera na galeria do casarão dias antes.

– Germán?

– O meu pai.

– E tu és…? – perguntei.

– A filha dele.

– Queria dizer: como te chamas?

– Sei perfeitamente o que querias dizer – replicou a rapariga.

Sem mais, empoleirou-se de novo na bicicleta e atravessou o gradeamento da entrada. Antes de se perder no jardim, voltou-se num relance. Aqueles olhos estavam a rir-se de mim às gargalhadas. Suspirei e segui-a. Um velho conhecido deu-me as boas-vindas. O gato olhava-me com o seu desdém habitual. Desejei ser um *dobermann*.

Atravessei o jardim escoltado pelo felino. Dei a volta àquela selva até chegar à fonte dos querubins. A bicicleta estava apoiada ali e a sua dona retirava um saco da cesta que tinha à frente do guiador. Cheirava a pão fresco. A rapariga tirou uma garrafa de leite do saco e ajoelhou-se para encher uma taça que havia no chão. O animal correu disparado para o seu pequeno-almoço. Dir-se-ia que aquele era um ritual diário.

– Julguei que o teu gato só comia passarinhos indefesos – disse.

– Só os caça. Não os come. É uma questão territorial – explicou, como teria feito a uma criança. – Ele do que gosta é de leite. Não é verdade, *Kafka*, que gostas de leite?

O kafkiano felino lambeu-lhe os dedos em sinal de concordância. A rapariga sorriu com meiguice ao mesmo tempo que lhe acariciava o lombo. Ao fazê-lo, os músculos das suas costas desenharam-se sob o vestido. Exactamente nessa altura ergueu os olhos e surpreendeu-me observando-a e lambendo os lábios.

– E tu? Já tomaste o pequeno-almoço? – perguntou.

Neguei com a cabeça.

– Então deves ter fome. Todos os tontos têm fome – disse. – Anda, vem comigo e come qualquer coisa. Vai fazer-te bem ter o estômago cheio se vais explicar a Germán por que roubaste o relógio dele.

A cozinha era um grande compartimento situado no lado de trás da casa. O meu inesperado pequeno-almoço consistiu em *croissants* que a rapariga trouxera da Pastelaria Foix, na Plaza Sarriá. Serviu-me uma chávena imensa de café com leite e sentou-se à minha frente enquanto eu devorava aquele festim com avidez. Contemplava-me como se tivesse recolhido um mendigo esfomeado, com um misto de curiosidade, pena e desconfiança. Ela não comeu nada.

– Já te tinha visto umas vezes por aí – comentou sem tirar os olhos de cima de mim. – A ti e àquele garoto pequenito que tem uma cara assustada. Vocês passam muitas tardes pela rua de trás quando vos soltam do internato. Às vezes vais tu sozinho, cantarolando distraído. Aposto que se divertem dentro daquela masmorra...

Estava prestes a responder qualquer coisa interessante quando uma sombra imensa se espalhou sobre a mesa como uma nuvem de tinta. A minha anfitriã ergueu os olhos e sorriu. Fiquei imóvel, com a boca cheia de *croissant* e o pulso a bater como umas castanholas.

– Temos visita – anunciou, divertida. – Papá, este é Óscar Drai, ladrão amador de relógios. Óscar, este é Germán, o meu pai.

Engoli num ápice e voltei-me lentamente. Uma silhueta que me pareceu altíssima erguia-se à minha frente. Vestia um fato de alpaca, com casaco e laço. Uma cabeleira branca e cuidadosamente penteada para trás caía-lhe sobre os ombros. Um bigode grisalho atravessava-lhe o rosto cinzelado por ângulos marcados em torno de dois olhos escuros e tristes. Mas o que de facto o definia eram as mãos. Mãos brancas de anjo, de dedos finos e intermináveis. Germán.

– Não sou um ladrão, senhor... – articulei nervoso. – Tudo tem uma explicação. Se me atrevi a aventurar-me na sua casa foi porque julguei que estava desabitada. Uma vez cá dentro não sei o que me aconteceu, ouvi aquela música, bem não, bem sim, o caso é que entrei e vi o relógio. Não pensava pegar nele, juro-lhe, mas assustei-me e, quando dei conta de que tinha o relógio, já estava longe. Ou seja, não sei se me explico...

A rapariga sorria com malícia. Os olhos de Germán pousaram nos meus, escuros e impenetráveis. Procurei no bolso e estendi-lhe o relógio, esperando que a qualquer momento aquele homem começasse aos gritos e me ameaçasse de telefonar para a polícia, para a Guarda Civil e para o tribunal tutelar de menores.

– Acredito – disse amavelmente, aceitando o relógio e sentando-se à mesa ao nosso lado.

A sua voz era suave, quase inaudível. A filha serviu-lhe um prato com *croissants* e uma chávena de café com leite igual à minha. Enquanto o fazia, beijou-o na testa e Germán abraçou-a. Contemplei-os na contraluz daquela claridade que vinha das grandes janelas. O rosto de Germán, que imaginara de ogre, revelava-se delicado, quase doentio. Era alto e extraordinariamente magro. Sorriu-me amável, ao mesmo tempo que levava a chávena aos lábios, e, por um instante, notei que circulava entre o pai e a filha uma corrente de afecto que ia para além de palavras e gestos. Um vínculo de silêncio e olhares unia-os nas sombras daquela casa, no fim de uma rua esquecida, onde cuidavam um do outro, longe do mundo.

Germán acabou o pequeno-almoço e agradeceu-me, cordial, que me tivesse incomodado a devolver-lhe o relógio. Tanta amabilidade fez-me sentir duplamente culpado.

– Muito bem, Óscar – disse com voz cansada –, foi um prazer conhecê-lo. Espero vê-lo de novo por aqui quando quiser visitar-nos outra vez.

Não compreendia por que fazia questão em me tratar por você. Havia algo nele que falava de outra época, outros tempos em que aquela cabeleira cinzenta brilhara e aquele casarão fora um palácio a meio caminho entre Sarriá e o céu. Apertou-me a mão e despediu-se para penetrar naquele insondável labirinto. Vi-o afastar-se coxeando ligeiramente pelo corredor. A filha observava-o, com um véu de tristeza no olhar.

– Germán não está muito bem de saúde – murmurou. – Cansa-se com facilidade.

Mas logo a seguir apagou aquele ar melancólico.

– Apetece-te mais alguma coisa?

– Está a fazer-se tarde para mim – disse, combatendo a tentação de aceitar qualquer desculpa para prolongar a minha estada junto dela. – Creio que o melhor será ir-me embora.

Ela aceitou a minha decisão e acompanhou-me ao jardim. A luz da manhã espalhara as brumas. O início do Outono tingia de cobre as árvores. Caminhámos para o gradeamento; *Kafka* ronronava ao sol. Ao chegar à porta, a rapariga ficou no interior da propriedade e deu-me passagem. Olhámo-nos em silêncio. Estendeu-me a mão e apertei-lha. Pude sentir o bater do seu pulso sob a pele aveludada.

– Obrigado por tudo – disse. – E desculpa por...

– Não tem importância.

Encolhi os ombros.

– Bem...

Comecei a andar pela rua a baixo, sentindo que a magia daquela casa se desprendia de mim a cada passo que dava. De repente, a sua voz soou lá atrás.

– Óscar!

Voltei-me. Ela continuava ali, atrás do gradeamento. *Kafka* estendia-se a seus pés.

– Por que entraste na nossa casa na outra noite?

Olhei à minha volta, como se esperasse encontrar a resposta escrita no chão.

– Não sei – admiti, por fim. – O mistério, suponho...

A rapariga sorriu enigmática.

– Gostas de mistérios?

Assenti. Creio que se me tivesse perguntado se gostava de arsénico a minha resposta teria sido a mesma.

– Tens alguma coisa para fazer amanhã?

Neguei, igualmente mudo. Se tivesse alguma coisa, inventaria uma desculpa. Como ladrão, não valia um cêntimo, mas como mentiroso devo confessar que sempre fui um artista.

– Então espero-te aqui, às nove – disse ela, perdendo-se nas sombras do jardim.

– Espera!

O meu grito fê-la parar.

– Não me disseste como te chamas...

– Marina... Até amanhã.

Acenei-lhe com a mão, mas já desaparecera. Aguardei em vão que Marina surgisse de novo. O Sol roçava a abóbada do céu e calculei que devia ser perto do meio-dia. Quando compreendi que Marina não voltaria, regressei ao internato. Os velhos portais do bairro pareciam sorrir-me, cúmplices. Podia ouvir o eco dos meus passos, mas teria jurado que andava um palmo acima do chão.

Capítulo 4

Creio que nunca fora tão pontual em toda a minha vida. A cidade ainda andava em pijama quando atravessei a Plaza Sarriá. À minha passagem, um bando de pombas levantou voo ao toque de sinos da missa das nove. Um sol de calendário iluminava os vestígios de um chuvisco nocturno. *Kafka* avançara até ao princípio da rua que ia dar ao casarão para me receber. Um grupo de pardais mantinha-se a prudente distância no cimo de um muro. O gato observava-os com estudada indiferença profissional.

– Bons dias, *Kafka*. Cometemos algum assassínio esta manhã?

O gato respondeu-me com um simples ronronar e, como se se tratasse de um fleumático mordomo, tratou de me guiar através do jardim até à fonte. Distingui a silhueta de Marina sentada na beira, enfiada num vestido cor de marfim que lhe deixava os ombros a descoberto. Segurava nas mãos um livro encadernado em pele, onde escrevia com uma caneta de tinta permanente. O seu rosto revelava uma grande concentração e não notou a minha presença. A sua mente parecia estar noutro mundo, o que me permitiu observá-la embevecido uns instantes. Decidi que Leonardo da Vinci devia ter desenhado aquelas clavículas; não havia outra explicação. *Kafka*, ciumento, rompeu a magia com um miado. A caneta parou de chofre e os olhos de Marina ergueram-se para os meus. De imediato fechou o livro.

– Pronto?

Marina guiou-me pelas ruas de Sarriá com rumo desconhecido e sem outro indício das suas intenções do que um misterioso sorriso.

– Onde vamos? – perguntei, passados alguns minutos.

– Tem paciência. Já vais ver.

Segui-a docilmente, embora albergasse a suspeita de estar a ser objecto de uma partida que naquele momento não conseguia compreender. Descemos até ao Paseo de la Bonanova e, dali, virámos em direcção a San Gervasio. Atravessámos em frente do buraco negro do bar Víctor. Um grupo de *pijos*[1], escondidos atrás de óculos de sol, segurava umas cervejas e aquecia o selim das suas *Vespas* com indolência. Ao ver-nos passar, vários acharam por bem baixar os *Ray Ban* até meio do nariz para tirarem uma radiografia a Marina. *Vão comer chumbo,* pensei.

Uma vez chegados à Calle Dr. Roux, Marina voltou à direita. Descemos alguns quarteirões até uma pequena ruela por alcatroar, que se abria por volta do número 112. O enigmático sorriso continuava a selar os lábios de Marina.

– É aqui? – perguntei, intrigado.

Aquela ruela não parecia conduzir a lugar nenhum. Marina limitou-se a avançar por ela. Conduziu-me a um caminho que subia até um pórtico ladeado por ciprestes. A seguir, um jardim encantado

[1] *Pijos* – jovens de posição social elevada, que vestem à moda e têm modos e maneira de falar afectados. (*N. da T.*)

povoado por lápides, cruzes e mausoléus musgosos empalidecia sob sombras azuladas. O velho cemitério de Sarriá.

O cemitério de Sarriá é um dos lugares mais escondidos de Barcelona. Se o procuramos nos mapas, não aparece. Se perguntamos como se chega lá a vizinhos ou taxistas, o mais certo é não saberem, embora todos tenham ouvido falar dele. E se, por acaso, nos atrevemos a procurá-lo por nossa conta, o mais provável é perdermo-nos. Os poucos que estão na posse do segredo da sua localização suspeitam que, na realidade, este velho cemitério não é mais do que uma ilha do passado que aparece e desaparece a seu bel-prazer.

Foi esse o palco a que Marina me levou naquele domingo de Setembro para me revelar um mistério que me mantinha quase tão intrigado como a sua dona. Seguindo as suas instruções, instalámo-nos num discreto recanto elevado na ala norte do recinto. Dali tínhamos uma boa visão do solitário cemitério. Sentámo-nos em silêncio, a contemplar túmulos e flores murchas. Marina não dava um pio e, decorridos uns minutos, comecei a impacientar-me. O único mistério que via em tudo aquilo era que diabo fazíamos ali.

– Isto está um tanto morto – sugeri, consciente da ironia.

– A paciência é a mãe da ciência – contrapôs Marina.

– E a madrinha da demência – repliquei. – Aqui não há nada de nada.

Marina dirigiu-me um olhar que não soube decifrar.

– Estás enganado. Aqui estão as recordações de centenas de pessoas, das suas vidas, dos seus sentimentos, das suas ilusões, da sua ausência, dos sonhos que nunca chegaram a realizar, das decepções, dos enganos e dos amores não correspondidos que lhes envenenaram as vidas... Tudo isso está aqui, preso para sempre.

Observei-a intrigado e um tanto coibido, embora não soubesse muito bem de que estava a falar. Fosse o que fosse, era importante para ela.

– Não se pode entender nada da vida enquanto não entendermos a morte – acrescentou Marina.

Fiquei de novo sem compreender muito bem as suas palavras.

– A verdade é que eu não penso muito nisso – disse. – Na morte, quero dizer. A sério não, pelo menos...

Marina abanou a cabeça, como um médico que reconhece os sintomas de uma doença fatal.

– Ou seja, és um dos palermas desprevenidos... – afirmou, com um certo ar de intriga.

– Desprevenidos?

Agora estava realmente perdido. A cem por cento.

Marina deixou vaguear o olhar e o seu rosto adquiriu um tom de gravidade que a fazia parecer mais velha. Estava hipnotizado por ela.

– Suponho que nunca ouviste a lenda – começou Marina.

– Lenda?

– Já imaginava – sentenciou. – O que se passa é que, segundo dizem, a morte tem emissários que vagueiam pelas ruas em busca dos ignorantes e dos cabeças ocas que não pensam nela.

Chegada a este ponto, cravou as suas pupilas nas minhas.

– Quando um desses infelizes se encontra com um emissário da morte – continuou Marina –, este guia-o para uma cilada sem que ele saiba. Uma porta do Inferno. Estes emissários cobrem o rosto para ocultar que não têm olhos, mas sim dois buracos negros onde habitam vermes. Quando já não há escapatória, o emissário revela o rosto e a vítima compreende o horror que a espera...

As suas palavras flutuaram como um eco, enquanto o meu estômago se contraía.

Só então Marina deixou escapar aquele sorriso malicioso. Sorriso de gato.

– Estás a gozar comigo – disse eu, por fim.

– Evidentemente.

Passaram cinco ou seis minutos em silêncio, talvez mais. Uma eternidade. Uma brisa leve roçava os ciprestes. Duas pombas brancas esvoaçavam por entre os túmulos. Uma formiga trepava pela perna das minhas calças. Pouco mais acontecia. De repente, senti que uma perna começava a ficar dormente e receei que o meu cérebro seguisse o mesmo caminho. Estava prestes a protestar quando Marina ergueu a mão, fazendo-me calar antes que tivesse descerrado os lábios. Apontou para o pórtico do cemitério.

Alguém acabava de entrar. A figura parecia a de uma dama envolta numa capa de veludo negro. O capuz cobria-lhe o rosto. As mãos, cruzadas sobre o peito, enfiadas em luvas da mesma cor do resto do traje. A capa chegava até ao chão e não permitia ver-lhe os pés. Dali, dir-se-ia que aquela figura sem rosto deslizava sem tocar no chão. Por qualquer razão, senti um calafrio.

– Quem...? – sussurrei.

– Ccch – cortou Marina.

Ocultos atrás das colunas da varanda, espiámos aquela dama de negro. Avançava por entre os túmulos como uma aparição. Levava uma rosa vermelha entre os dedos enluvados. A flor parecia uma ferida fresca esculpida à navalha. A mulher aproximou-se de uma lápide que ficava mesmo por baixo do nosso posto de observação e parou, voltando-nos as costas. Pela primeira vez notei que aquele túmulo, ao contrário de todos os outros, não tinha nome. Apenas se conseguia distinguir uma inscrição gravada no mármore: um símbolo que parecia representar um insecto, uma borboleta negra com as asas abertas.

A dama de negro permaneceu durante quase cinco minutos em silêncio ao pé do túmulo. Por fim, inclinou-se, depositou a rosa vermelha sobre a lápide e foi-se embora lentamente, da mesma forma como tinha vindo. Como uma aparição.

Marina dirigiu-me um olhar nervoso e aproximou-se para me sussurrar qualquer coisa ao ouvido. Senti os seus lábios roçar-me a orelha e uma centopeia com patinhas de fogo começou a dançar o samba na minha nuca.

– Descobri-a por acaso há três meses, quando vim com Germán trazer flores à sua tia Reme... Vem aqui no último domingo de cada mês às dez da manhã e deixa uma rosa vermelha idêntica sobre esse túmulo – explicou Marina. – Usa sempre a mesma capa, as luvas e o capuz. Vem sempre só. Nunca se lhe vê a cara. Nunca fala com ninguém.

– Quem está enterrado nesse túmulo?

O estranho símbolo talhado no mármore despertava a minha curiosidade.

– Não sei. No registo do cemitério não figura nenhum nome...

– E quem é essa mulher?

Marina ia responder quando vislumbrou a silhueta da dama a desaparecer pelo pórtico do cemitério. Agarrou-me na mão e levantou-se, apressada.

– Rápido. Vamos perdê-la.

– Vamos segui-la? – perguntei.

– Querias acção ou não? – disse-me, a meio caminho entre pena e irritação, como se eu fosse parvo.

Quando chegámos à Calle Dr. Roux, a mulher de negro afastava-se para a Bonanova. Recomeçara a chover, embora o Sol relutasse em esconder-se. Seguimos a dama através daquela cortina de lágrimas de ouro. Atravessámos o Paseo de la Bonanova e subimos em direcção à falda das montanhas, povoada por palacetes e mansões que tinham conhecido melhores épocas. A dama penetrou na retícula de ruas desertas. Cobria-as um manto de folhas secas, brilhantes como as escamas abandonadas por uma grande serpente. Depois deteve-se ao chegar a um cruzamento, uma estátua viva.

– Viu-nos… – sussurrei, refugiando-me com Marina atrás de um grosso tronco sulcado de inscrições.

Por instantes receei que se voltasse e nos descobrisse. Mas não. Pouco depois, virou para a esquerda e desapareceu. Marina e eu entreolhámo-nos. Retomámos a perseguição. O rasto levou-nos a um beco sem saída, cortado pelo troço descoberto dos caminhos-de-ferro de Sarriá, que subiam para Vallvidrera e Sant Cugat. Parámos ali. Não havia rasto da dama de negro, embora a tivéssemos visto virar exactamente naquele ponto. Acima das árvores e dos telhados das casas distinguiam-se à distância os torreões do internato.

– Deve ter-se metido em casa – comentei. – Deve viver por aqui…

– Não. Estas casas estão desabitadas. Não vive aqui ninguém.

Marina apontou-me as fachadas ocultas atrás de gradeamentos e muros. Alguns velhos armazéns abandonados e um casarão devorado pelas chamas há décadas era o que ainda estava de pé. A dama esfumara-se diante do nosso nariz.

Penetrámos no beco. Um charco reflectia uma lâmina de céu a nossos pés. As gotas de chuva apagavam a nossa imagem. No fim do beco, um portão de madeira baloiçava, movido pelo vento. Marina olhou-me em silêncio. Aproximámo-nos sub-repticiamente e meti a cabeça para dar uma vista de olhos. O portão, aberto num muro de tijolo vermelho, dava para um pátio. O que noutro tempo fora um jardim agora estava completamente dominado pelas ervas daninhas. Por detrás delas, adivinhava-se a fachada de um estranho edifício coberto de hera. Demorei uns segundos a compreender que se tratava de uma estufa de vidro armada num esqueleto de aço. As plantas zumbiam, tal como um enxame à espreita.

– Primeiro tu – convidou-me Marina.

Enchi-me de coragem e penetrei nas ervas. Marina, sem aviso prévio, agarrou-me na mão e seguiu atrás de mim. Senti os meus passos afundarem-se no manto de escombros. A imagem de um emaranhado de escuras serpentes com olhos escarlates passou-me pela cabeça. Avançámos por aquela selva de ramos hostis que arranhavam a pele até chegarmos à frente da estufa. Uma vez ali, Marina largou-me a mão para contemplar a sinistra edificação. A hera estendia uma teia de aranha sobre toda a estrutura. A estufa parecia um palácio sepultado nas profundezas de um pântano.

– Receio que nos tenha escapado – disse. – Há anos que ninguém põe os pés aqui.

Marina deu-me razão de má vontade. Deitou uma última vista de olhos à estufa com ar decepcionado. *As derrotas em silêncio sabem melhor*, pensei.

– Anda, vamos – sugeri, oferecendo-lhe a minha mão na esperança de que a agarrasse de novo para atravessar as ervas.

Marina ignorou-a e, franzindo as sobrancelhas, afastou-se para dar a volta à estufa. Suspirei e segui-a de má vontade. Aquela rapariga era mais teimosa do que uma mula.

– Marina – comecei –, aqui não...

Encontrei-a na parte de trás da estufa, em frente do que parecia a entrada. Olhou-me e levantou a mão para o envidraçado. Limpou a sujidade que cobria uma inscrição no vidro. Reconheci a mesma borboleta que marcava o túmulo anónimo do cemitério. Marina encostou a mão nela. A porta cedeu lentamente. Pude sentir o bafo fétido e adocicado que exalava o interior. Era o fedor dos pântanos e dos poços envenenados. Não dando ouvidos ao pouco bom senso que ainda tinha na cabeça, penetrei nas trevas.

Capítulo 5

Um aroma fantasmagórico a perfume e a madeira velha flutuava nas sombras. O chão, de terra fresca, ressumava humidade. Espirais de vapor dançavam na direcção da cúpula de vidro. A condensação resultante sangrava gotas invisíveis na obscuridade. Um estranho som palpitava para além do meu campo de visão. Um murmúrio metálico, como o de uma persiana a bater.

Marina continuava a avançar lentamente. A temperatura era quente, húmida. Senti que a roupa se me pegava à pele e uma película de suor se me ia formando na testa. Voltei-me para Marina e verifiquei, na média luz, que lhe estava a acontecer o mesmo. Aquele murmúrio sobrenatural continuava a agitar-se na sombra. Parecia provir de todos os lados.

– O que é isto? – sussurrou Marina, com uma ponta de medo na voz.

Encolhi os ombros. Continuámos a penetrar na estufa. Parámos num ponto onde convergiam umas agulhas de luz que se filtravam da cobertura. Marina ia dizer qualquer coisa quando ouvimos de novo aquele sinistro tamborilar. Próximo. A menos de dois metros. Mesmo sobre as nossas cabeças. Trocámos um olhar silencioso e, devagar, erguemos o olhar para a zona ancorada na sombra, no tecto da estufa. Senti a mão de Marina apertar a minha com força. Tremia. Tremíamos.

Estávamos rodeados. Várias silhuetas angulosas pendiam do vazio. Distingui uma dúzia, talvez mais. Pernas, braços, mãos e olhos brilhando nas trevas. Uma turba de corpos inertes balançava sobre nós como marionetas infernais. Ao roçar uns nos outros produziam aquele som metálico. Demos um passo atrás e, antes que pudéssemos perceber o que estava a acontecer, o tornozelo de Marina ficou preso numa alavanca ligada a um sistema de roldanas. A alavanca cedeu. Num décimo de segundo, aquele exército de figuras congeladas precipitou-se no vazio. Lancei-me para cobrir Marina e caímos ambos de bruços. Ouvi o eco de uma sacudidela violenta e o rugido da velha estrutura de vidro a vibrar. Receei que as placas de vidro se quebrassem e uma chuva de facas transparentes nos cravasse ao chão. Naquele momento senti um contacto frio na nuca. Dedos.

Abri os olhos. Um rosto sorria-me. Olhos brilhantes e amarelos brilhavam, sem vida. Olhos de vidro num rosto cinzelado em madeira lacada. E naquele instante ouvi Marina sufocar um grito a meu lado.

– São bonecos – disse, quase sem poder respirar.

Erguemo-nos para verificar a verdadeira natureza daqueles seres. Marionetas. Figuras de madeira, metal e cerâmica. Estavam suspensas por mil cabos de uma tramóia. A alavanca que Marina accionara sem querer libertara o mecanismo de roldanas que as sustinha. As figuras tinham parado a três palmos do chão. Moviam-se num macabro *ballet* de enforcados.

– Que raios...? – exclamou Marina.

Observei aquele grupo de bonecos. Reconheci uma figura trajada de mágico, um polícia, uma bailarina, uma grande dama vestida de grená, um atleta de feira... Estavam todos feitos à escala real e vestiam luxuosos trajes de dança de disfarces que o tempo transformara em farrapos. Mas havia qualquer coisa neles que os ligava, que lhes conferia uma estranha qualidade que denunciava a sua origem comum.

– Estão por acabar – descobri.

Marina compreendeu de imediato a que me referia. A cada um daqueles seres faltava qualquer coisa. O polícia não tinha braços. A bailarina não tinha olhos, apenas duas cavidades vazias. O mágico não tinha olhos, nem mãos... Contemplámos as figuras que baloiçavam na luz espectral. Marina aproximou-se da bailarina e observou-a com atenção. Indicou-me uma pequena marca na testa, mesmo abaixo do início do seu cabelo de boneca. A borboleta negra, de novo. Marina estendeu a mão até àquela marca. Os dedos roçaram o cabelo e ela retirou a mão bruscamente. Observei a sua expressão de repugnância.

– O cabelo... é verdadeiro – disse.

– Impossível.

Tratámos de examinar cada uma das sinistras marionetas e encontrámos a mesma marca em todas. Accionei outra vez a alavanca e o sistema de roldanas ergueu de novo os corpos. Vendo-os subir assim, inertes, pensei que eram almas mecânicas que vinham juntar-se ao seu criador.

– Parece que há qualquer coisa ali – disse Marina atrás de mim.

Voltei-me e vi-a apontando para um canto da estufa, onde se distinguia uma velha secretária. Uma fina camada de pó cobria a superfície. Uma aranha corria, deixando um rasto de diminutas marcas. Ajoelhei-me e soprei a película de pó. Elevou-se no ar uma nuvem cinzenta. Sobre a secretária encontrava-se um volume encadernado em pele, aberto a meio. Com uma caligrafia esmeradíssima podia ler-se por baixo de uma velha fotografia de cor sépia colada ao papel: «Arles, 1903.» A imagem mostrava duas meninas siamesas ligadas pelo tronco. Exibindo vestidos de gala, as duas irmãs ofereciam à máquina fotográfica o sorriso mais triste do mundo.

Marina voltou as páginas. O caderno era um álbum de fotografias antigas, normal e vulgar. Mas as imagens que nele se viam não tinham nada de normal nem de vulgar. A imagem das meninas siamesas fora um prenúncio. Os dedos de Marina viraram folha a folha para contemplar, com um misto de fascinação e repulsa, aquelas fotografias. Dei uma vista de olhos e senti um estranho formigueiro na espinha dorsal.

– Fenómenos da natureza… – murmurou Marina. – Seres com malformações, que dantes eram desterrados para os circos…

O poder perturbador daquelas imagens atingiu-me como uma chicotada. O reverso obscuro da natureza mostrava o seu rosto monstruoso. Almas inocentes presas no interior de corpos horrivelmente deformados. Durante alguns minutos passámos as páginas daquele álbum em silêncio. Uma a uma, as fotografias mostravam-nos, lamento dizê-lo, criaturas de pesadelo. As abominações físicas, no entanto, não conseguiam velar os olhares de desolação, de horror e solidão que ardiam naqueles rostos.

– Meu Deus… – sussurrou Marina.

As fotografias estavam identificadas, citando o ano e a procedência da fotografia: Buenos Aires, 1893. Bombaim, 1911. Turim, 1930. Praga, 1933… Era-me difícil adivinhar quem, e porquê, teria compilado semelhante colecção. Um catálogo do Inferno. Por fim, Marina afastou os olhos do livro e refugiou-se nas sombras. Tratei de fazer o mesmo, mas sentia-me incapaz de me desligar da dor e do horror que aquelas imagens respiravam. Poderia viver mil anos e continuaria a recordar o olhar de cada uma daquelas criaturas. Fechei o livro e voltei-me para Marina. Ouvi-a suspirar na penumbra e senti-me insignificante, sem saber o que fazer ou dizer. Qualquer coisa naquelas fotografias a perturbara profundamente.

– Estás bem…? – perguntei.

Marina assentiu em silêncio, com os olhos quase fechados. De súbito, algo ressoou no recinto. Explorei o manto de sombras que nos rodeava. Ouvi de novo aquele som inclassificável. Hostil. Maléfico. Notei então um cheiro a podridão, nauseabundo e penetrante. Vinha da obscuridade como o hálito de uma besta selvagem. Tive a certeza de que não estávamos sós. Havia alguém ali. Observando-nos. Marina contemplava petrificada a muralha de escuridão. Agarrei-a pela mão e guiei-a para a saída.

Capítulo 6

O chuvisco vestira as ruas de prata quando saímos dali. Era uma da tarde. Fizemos o caminho de regresso sem trocar palavra. Em casa de Marina, Germán esperava-nos para almoçar.

– Não contes nada a Germán sobre isto, por favor – pediu-me Marina.

– Podes estar descansada.

Compreendi que também não teria sabido explicar o que sucedera. À medida que nos afastávamos do lugar, a recordação daquelas imagens e da sinistra estufa foi-se desvanecendo. Ao chegar à Plaza Sarriá, notei que Marina estava pálida e respirava com dificuldade.

– Estás bem? – perguntei.

Marina disse-me que sim com pouca convicção. Sentámo-nos num banco da praça. Ela respirou profundamente várias vezes, com os olhos fechados. Um bando de pombas saltitava a nossos pés. Por um instante, receei que Marina fosse desmaiar. Então abriu os olhos e sorriu-me.

– Não te assustes. É apenas uma pequena tontura. Deve ter sido daquele cheiro.

– Com certeza. Provavelmente era um animal morto. Uma ratazana ou...

Marina apoiou a minha hipótese. Pouco a pouco, voltou-lhe a cor às faces.

– O que me está a fazer falta é comer qualquer coisa. Anda, vamos. Germán está farto de esperar por nós.

Levantámo-nos e encaminhámo-nos para sua casa. *Kafka* esperava no gradeamento. Olhou-me com desdém e correu a esfregar o lombo nos tornozelos de Marina. Estava eu a avaliar as vantagens de ser um gato, quando reconheci o som daquela voz celestial no gramofone de Germán. A música infiltrava-se pelo jardim como uma maré alta.

– Que música é esta?

– Leo Delibes – respondeu Marina.

– Não conheço.

– Delibes. Um compositor francês – esclareceu Marina, adivinhando o meu desconhecimento. – O que vos ensinam no colégio?

Encolhi os ombros.

– É um excerto de uma das suas óperas. *Lakmé.*

– E essa voz?

– A minha mãe.

Olhei-a, atónito.

– A tua mãe é cantora de ópera?

Marina devolveu-me um olhar impenetrável.

– Era – respondeu. – Morreu.

Germán esperava-nos no salão principal, uma grande divisão ovalada. Um candeeiro de lágrimas de vidro pendia do tecto. O pai de Marina estava quase em traje de cerimónia. Vestia fato e colete, e o cabelo prateado encontrava-se cuidadosamente penteado para trás. Pareceu-me estar a ver um cavalheiro do fim do século.

Sentámo-nos à mesa, posta com toalha de linho e talheres de prata.

– É um prazer tê-lo entre nós, Óscar – disse Germán. – Nem todos os domingos temos o prazer de contar com tão agradável companhia.

A louça era de porcelana, genuíno artigo de antiquário. A ementa parecia consistir numa sopa de aroma delicioso e pão. Nada mais. Enquanto Germán me servia primeiro a mim, compreendi que todo aquele aparato se devia à minha presença. Apesar do faqueiro de prata, da louça de museu e das galas de domingo, naquela casa não havia dinheiro para um segundo prato. E a verdade é que nem sequer havia luz. A casa estava permanentemente iluminada com velas. Germán deve ter-me lido o pensamento.

– Deve ter notado que não temos electricidade, Óscar. A verdade é que não acreditamos muito nos avanços da ciência moderna. Afinal, que tipo de ciência é essa, capaz de pôr um homem na Lua mas incapaz de pôr um pedaço de pão na mesa de cada ser humano?

– Se calhar o problema não está na ciência mas nos que decidem como utilizá-la – sugeri.

Germán considerou a minha ideia e assentiu com solenidade, não sei se por cortesia ou por convicção.

– Intuo que você é um pouco filósofo, Óscar. Leu Schopenhauer?

Notei os olhos de Marina fixos em mim, sugerindo-me que seguisse a corrente do pai.

– Só por alto – improvisei.

Saboreámos a sopa sem falar. Germán sorria-me amável de vez em quando e olhava com ternura a filha. Algo me dizia que Marina não tinha muitos amigos e que Germán via com bons olhos a minha presença ali, apesar de não ser capaz de distinguir entre Schopenhauer e uma marca de artigos ortopédicos.

– E diga-me, Óscar, o que se conta no mundo por estes dias?

Formulou aquela pergunta de tal modo que suspeitei que, se lhe anunciasse o fim da Segunda Guerra Mundial, ia causar uma revolução.

– Não muito, na verdade – disse, sob a atenta vigilância de Marina. – Vêm aí eleições...

Isto despertou o interesse de Germán, que interrompeu a dança da sua colher e sopesou o tema.

– E você é o quê, Óscar? De direita ou de esquerda?

– Óscar é anarquista, papá – cortou Marina.

Engasguei-me com o pedaço de pão. Não sabia o que significava aquela palavra, mas soava a anarquista de bicicleta. Germán observou-me atentamente, intrigado.

– O idealismo da juventude... – murmurou. – Compreendo-o, compreendo-o. Na sua idade, eu também li Bakunine. É como o sarampo; enquanto não passa...

Lancei um olhar assassino a Marina, que lambia os lábios como um gato. Piscou-me o olho e desviou a vista. Germán observou-me com curiosidade benevolente. Devolvi-lhe a amabilidade com uma inclinação de cabeça e levei a colher aos lábios. Pelo menos assim não teria de falar e não meteria a pata na poça. Comemos em silêncio. Não tardei a notar que, no outro lado da mesa, Germán estava a adormecer. Quando por fim a colher resvalou dos seus dedos, Marina levantou-se e, sem dizer nada, afrouxou-lhe a gravata-borboleta de seda prateada. Germán suspirou. Uma das suas mãos tremia ligeiramente. Marina agarrou o pai pelo braço e ajudou-o a erguer-se. Germán aceitou, abatido, e sorriu-me débil, quase envergonhado. Pareceu-me ter envelhecido quinze anos num abrir e fechar de olhos.

– Desculpar-me-á, Óscar... – disse num fio de voz. – Coisas da idade...

Pus-me também em pé, oferecendo ajuda a Marina com um olhar. Ela recusou-a e pediu-me que permanecesse na sala. O pai apoiou-se nela e assim os vi abandonar o salão.

– Foi um prazer, Óscar... – murmurou a voz fatigada de Germán, perdendo-se no corredor de sombras. – Volte a visitar-nos, volte a visitar-nos...

Ouvi os passos desvanecerem-se no interior da casa e esperei o regresso de Marina à luz das velas durante quase meia hora. A atmosfera da casa foi-se infiltrando em mim. Quando tive a certeza de que Marina não ia voltar, comecei a preocupar-me. Hesitei em ir à sua procura, mas não me pareceu correcto meter o nariz nos quartos sem ser convidado. Pensei em deixar um bilhete, mas não tinha nada com que escrever. Estava a anoitecer, de maneira que o melhor era ir-me embora. Voltaria no dia seguinte, depois das aulas, para ver se estava tudo bem. Surpreendeu-me verificar que apenas há meia hora que não via Marina e a minha cabeça já estava a procurar desculpas para regressar. Dirigi-me para a porta traseira da cozinha e percorri o jardim até ao gradeamento. O céu apagava-se sobre a cidade com nuvens em trânsito.

Enquanto deambulava até ao internato, devagar, os acontecimentos do dia desfilaram-me pela mente. Ao subir as escadas para o meu quarto, no quarto andar, estava convencido de que aquele tinha sido o dia mais estranho da minha vida. Mas se fosse possível comprar um bilhete para o repetir, tê-lo-ia feito sem pensar duas vezes.

Capítulo 7

À noite sonhei que estava preso no interior de um imenso caleidoscópio. Um ser diabólico, de quem só podia ver o grande olho através da lente, fazia-o girar. O mundo desfazia-se em labirintos de ilusões ópticas, que flutuavam à minha volta. Insectos. Borboletas negras. Acordei de repente com a sensação de ter o sangue a ferver nas veias. O estado febril não me abandonou em todo o dia. As aulas de segunda-feira desfilaram como comboios que não paravam na minha estação. JF apercebeu-se logo.

– Normalmente estás nas nuvens – sentenciou –, mas hoje vais a sair da atmosfera. Estás doente?

Com expressão ausente, tranquilizei-o. Consultei o relógio por cima do quadro negro da sala. Três e meia. Dali a pouco menos de duas horas acabavam as aulas. Uma eternidade. Lá fora, a chuva arranhava os vidros.

Ao toque da campainha escapuli-me a toda a velocidade, deixando JF plantado para o nosso habitual passeio pelo mundo real. Atravessei os eternos corredores até chegar à saída. Os jardins e as fontes da entrada empalideciam sob um manto de tempestade. Não levava guarda-chuva, nem sequer um capuz. O céu era uma lápide de chumbo. Os candeeiros ardiam como fósforos.

Deitei a correr. Evitei charcos, passei ao lado de sarjetas a transbordar e cheguei à saída. Desciam pela rua regatos de chuva, como uma veia a sangrar. Molhado até aos ossos, corri por ruas estreitas e silenciosas. Os esgotos rugiam à minha passagem. A cidade parecia mergulhar num oceano negro. Demorei dez minutos a chegar ao gradeamento do casarão de Marina e Germán. Nessa altura já tinha a roupa e os sapatos irremediavelmente ensopados. O crepúsculo era uma cortina de mármore cinzento no horizonte. Julguei ouvir um estalido atrás de mim, na entrada do beco. Voltei-me, sobressaltado. Por um instante senti que alguém me tinha seguido. Mas não havia ali ninguém, apenas a chuva metralhando charcos no caminho.

Esgueirei-me através do gradeamento. A claridade dos relâmpagos guiou-me os passos até à mansão. Os querubins da fonte deram-me as boas-vindas. Tiritando de frio, cheguei à porta traseira da cozinha. Encontrei-a aberta. Entrei. A casa estava completamente às escuras. Recordei as palavras de Germán acerca da ausência de electricidade.

Até então, não me ocorrera pensar que ninguém me convidara. Pela segunda vez, penetrava naquela casa sem qualquer pretexto. Pensei em ir-me embora, mas a tempestade uivava lá fora. Suspirei. Doíam-me as mãos de frio e mal sentia a ponta dos dedos. Tossi como um cão e senti o coração a pulsar nas têmporas. Tinha a roupa colada ao corpo, gelada. *O meu reino por uma toalha,* pensei.

– Marina? – chamei.

O eco da minha voz perdeu-se no casarão. Tive consciência do manto de sombras que se estendia à minha volta. Só o clarão dos relâmpagos infiltrando-se pelos vidros permitia fugazes impressões de claridade, como o *flash* de uma máquina fotográfica.

– Marina? – insisti. – Sou o Óscar...

Com timidez, penetrei na casa. Os meus sapatos ensopados produziam um som viscoso ao andar. Detive-me ao chegar ao salão onde tínhamos comido no dia anterior. A mesa estava vazia, e as cadeiras desertas.

– Marina? Germán?

Não obtive resposta. Distingui na penumbra um castiçal e uma caixa de fósforos sobre uma pequena mesa. Os meus dedos enrugados e insensíveis precisaram de cinco tentativas para acender a chama.

Ergui a luz tremeluzente. Uma claridade fantasmagórica inundou a sala. Deslizei até ao corredor por onde vira desaparecer Marina e o pai no dia anterior.

O corredor conduzia a outro grande salão, igualmente coroado com um lustre de vidro. As suas contas brilhavam na penumbra como carrosséis de diamantes. A casa estava povoada por sombras oblíquas que a tempestade projectava do exterior através dos vidros. Velhos móveis e cadeirões permaneciam debaixo de lençóis brancos. Uma escadaria de mármore conduzia ao primeiro andar. Aproximei-me dela, sentindo-me um intruso. Dois olhos amarelos brilhavam no cimo da escada. Ouvi um miado. *Kafka*. Suspirei, aliviado. Um segundo depois o gato desapareceu nas sombras. Detive-me e olhei em volta. Os meus passos tinham deixado um rasto de pegadas no pó.

– Está aí alguém? – chamei de novo, sem obter resposta.

Imaginei aquele grande salão há décadas, vestido de gala. Uma orquestra e dezenas de pares dançantes. Agora parecia o salão de um navio afundado. As paredes estavam cobertas de quadros a óleo. Eram todos retratos de uma mulher. Reconheci-a. Era a mesma que aparecia no quadro que vira na primeira noite em que penetrei naquela casa. A perfeição e a magia do traço e a luminosidade daquelas pinturas eram quase sobrenaturais. Interroguei-me sobre quem seria o artista. Até para mim foi evidente que eram obra da mesma mão. A dama parecia vigiar-me de todos os lados. Não era difícil reparar na enorme parecença daquela mulher com Marina. Os mesmos lábios sobre uma tez pálida, quase transparente. A mesma cintura, esbelta e frágil como a de uma figura de porcelana. Os mesmos olhos de cinza, tristes e sem fundo. Senti qualquer coisa roçar-me um tornozelo. *Kafka* ronronava a meus pés. Baixei-me e acariciei o seu pêlo prateado.

– Onde está a tua dona?

Como resposta miou, melancólico. Não havia ninguém ali. Ouvi o som da chuva batendo no telhado. Milhares de aranhas de água correndo no sótão. Supus que Marina e Germán tinham saído por algum motivo impossível de adivinhar. Em qualquer caso, isso não me dizia respeito. Acariciei *Kafka* e decidi que devia ir-me embora antes que voltassem.

– Um dos dois está a mais aqui – sussurrei a *Kafka*. – Eu.

De súbito, os pêlos do lombo do gato eriçaram-se como espinhos. Senti os seus músculos ficarem tensos como cabos de aço por baixo da minha mão. *Kafka* emitiu um miado de pânico. Estava a perguntar a mim mesmo o que podia ter aterrorizado o animal daquela maneira quando o notei. Aquele cheiro. O fedor a podridão animal da estufa. Senti náuseas.

Ergui os olhos. Uma cortina de chuva velava os vidros do salão. Do outro lado distingui a silhueta mal definida dos anjos na fonte. Soube instintivamente que qualquer coisa estava mal. Havia uma figura mais entre as estátuas. Endireitei-me e avancei devagar até aos vidros. Uma das silhuetas deu meia volta sobre si mesma. Estaquei, petrificado. Não lhe podia distinguir as feições, apenas uma forma escura envolta num manto. Tive a certeza de que aquele estranho me estava a observar. E sabia que eu o estava a observar a ele. Permaneci imóvel durante um instante infinito. Segundos mais tarde, a figura dissolveu-se nas sombras. Quando a luz de um relâmpago explodiu sobre o jardim, o estranho já não estava ali. Demorei a aperceber-me de que o fedor desaparecera com ele.

Não me ocorreu outra coisa senão sentar-me à espera do regresso de Germán e Marina. A ideia de sair para o exterior não era muito tentadora. A tempestade era o menos. Deixei-me cair num imenso cadeirão. Pouco a pouco, o eco da chuva e a claridade ténue que flutuava no grande salão foram-me adormecendo. A certa altura ouvi o som da fechadura principal a abrir-se e passos na casa. Acordei do meu transe e o meu coração deu um salto. Vozes que se aproximavam pelo corredor. Uma vela. *Kafka* correu para a luz exactamente quando Germán e a filha iam a entrar na sala. Marina cravou em mim um olhar gelado.

– O que estás a fazer aqui, Óscar?

Balbuciei qualquer coisa sem nexo. Germán sorriu-me amavelmente e examinou-me com curiosidade.

– Pelo amor de Deus, Óscar. Está encharcado! Marina, traz umas toalhas limpas para o Óscar... Venha, Óscar, vamos acender o lume, que está uma noite de cão...

Sentei-me em frente da lareira, segurando uma taça de caldo quente que Marina me preparara. Contei desajeitado o motivo da minha presença sem mencionar a silhueta na janela e aquele sinistro fedor. Germán aceitou de boa vontade as minhas explicações e não se mostrou nada ofendido com a minha intrusão, antes pelo contrário.

Marina era outra história. O seu olhar queimava-me. Receei que a minha estupidez ao introduzir-me em sua casa como se fosse um hábito acabasse para sempre com a nossa amizade. Não abriu a boca durante a meia hora em que estivemos sentados à frente do fogo. Quando Germán se despediu e me desejou boas-noites, suspeitei que a minha ex-amiga me ia expulsar a pontapés e dizer-me que nunca mais voltasse.

Aí vem, pensei. O beijo da morte. Marina sorriu levemente, sarcástica.

– Pareces um pato enjoado – disse.

– Obrigado – repliquei, esperando algo pior.

– Vais contar-me que raio estás aqui a fazer?

Os seus olhos brilhavam com o fogo. Bebi o resto do caldo e baixei os olhos.

– A verdade é que não sei… – disse. – Suponho que… não sei…

Sem dúvida o meu aspecto lamentável ajudou, porque Marina se aproximou e me deu uma palmada na mão.

– Olha para mim – ordenou.

Assim fiz. Observava-me com um misto de compaixão e simpatia.

– Não estou aborrecida contigo, estás a ouvir? – disse. – É que me surpreendeu ver-te aqui, assim, sem avisar. Todas as segundas-feiras acompanho Germán ao médico, ao hospital de San Pablo, por isso não estávamos. Não é um dia bom para visitas.

Estava envergonhado.

– Não voltará a acontecer – prometi.

Dispunha-me a explicar a Marina a estranha aparição que julgara presenciar quando ela riu suavemente e se inclinou para me beijar na cara. O roçar dos seus lábios bastou para que a roupa ficasse de imediato seca. As palavras perderam-se rumo à língua. Marina notou o meu balbuciar mudo.

– O quê? – perguntou.

Contemplei-a em silêncio e neguei com a cabeça.

– Nada.

Levantou a sobrancelha, como se não acreditasse, mas não insistiu.

– Mais um pouco de caldo? – perguntou, levantando-se.

– Obrigado.

Marina agarrou na minha taça e foi à cozinha para voltar a enchê-la. Fiquei junto da lareira, fascinado pelos retratos da dama nas paredes. Quando Marina regressou, seguiu o meu olhar.

– A mulher que aparece em todos esses retratos... – comecei.

– É a minha mãe – disse Marina.

Senti que invadia um terreno escorregadio.

– Nunca tinha visto uns quadros assim. São como... fotografias da alma.

Marina assentiu em silêncio.

– Deve tratar-se de um artista famoso – insisti. – Mas nunca vi nada igual.

Marina demorou a responder.

– Nem verás. Há quase dezasseis anos que o autor não pinta um quadro. Esta série de retratos foi a sua última obra.

– Devia conhecer muito bem a tua mãe para a poder retratar dessa maneira – afirmei.

Marina olhou-me longamente. Senti o mesmo olhar captado nos quadros.

– Melhor do que ninguém – respondeu. – Casou com ela.

Capítulo 8

Nessa noite, junto do lume, Marina explicou-me a história de Germán e do palacete de Sarriá.

Germán Blau nascera no seio de uma família endinheirada pertencente à florescente burguesia catalã da época. Não faltavam à dinastia Blau o camarote no Liceo, o bairro para os operários nas margens do rio Sagre, nem um ou outro escândalo de sociedade. Murmurava-se que o pequeno Germán não era filho do grande patriarca Blau, mas fruto dos amores ilícitos entre a mãe, Diana, e um pitoresco indivíduo chamado Quim Salvat. Salvat era, por esta ordem, libertino, retratista e sátiro profissional. Escandalizava as pessoas de categoria, ao mesmo tempo que imortalizava os rostos das suas mulheres a óleo por preços astronómicos. Fosse qual fosse a verdade, o certo é que Germán não tinha qualquer parecença física nem de personalidade com qualquer membro da família. O seu único interesse era a pintura, o desenho, o que pareceu suspeito a toda a gente. Especialmente ao pai oficial.

Ao chegar ao décimo sexto aniversário, o pai anunciou-lhe que não havia lugar para preguiçosos nem folgazões na família. Se persistisse nas suas intenções de «ser artista», ia pô-lo a trabalhar na fábrica como moço de recados ou canteiro, na legião ou em qualquer outra instituição que contribuísse para fortalecer o seu carácter e fazer dele um homem como devia ser. Germán optou por fugir de casa, onde regressou pela mão da Guarda Civil vinte e quatro horas depois.

O progenitor, desesperado e decepcionado com aquele primogénito, optou por transferir as suas esperanças para o segundo filho, Gaspar, que se esforçava por aprender o negócio têxtil e mostrava mais disposição para continuar a tradição familiar. Receando pelo seu futuro económico, o velho Blau pôs em nome de Germán o palacete de Sarriá, que estava há anos semi-abandonado. «Embora nos envergonhes a todos, não trabalhei como um escravo para que um filho meu fique na rua», disse-lhe. A mansão fora no seu tempo uma das mais apreciadas pelas pessoas de estirpe e carruagem, mas já ninguém cuidava dela. Estava amaldiçoada. De facto, dizia-se que os encontros secretos entre Diana e o libertino Salvat tinham tido por cenário o referido lugar. Dessa forma, por ironia do destino, a casa passou para as mãos de Germán. Pouco depois, com o apoio clandestino da mãe, Germán transformou-se em aprendiz do próprio Quim Salvat. No primeiro dia, Salvat olhou-o fixamente nos olhos e pronunciou estas palavras:

– Um, eu não sou teu pai e não conheço a tua mãe senão de vista. Dois, a vida do artista é uma vida de risco, incerteza e, quase sempre, de pobreza. Não se escolhe; ela escolhe-nos a nós. Se tens dúvidas em relação a qualquer destes dois pontos, mais vale que saias por essa porta agora mesmo.

Germán ficou.

Os anos de aprendizagem com Quim Salvat foram para Germán um salto para outro mundo. Pela primeira vez descobriu que alguém acreditava nele, no seu talento e nas suas possibilidades de chegar a ser algo mais do que a pálida cópia do pai. Sentiu-se outra pessoa. Em seis meses aprendeu e melhorou mais do que nos anteriores anos da sua vida.

Salvat era um homem extravagante e generoso, amante das coisas requintadas do mundo. Só pintava de noite e, embora não fosse bem-parecido (a única parecença que tinha era com um urso), podia ser considerado um quebra-corações, dotado de um estranho poder de sedução que manejava quase melhor do que o pincel.

Modelos que cortavam a respiração e senhoras da alta sociedade desfilavam por aquele estúdio desejando posar para ele e, segundo suspeitava Germán, algo mais. Salvat sabia de vinhos, de poetas, de cidades lendárias e de técnicas de acrobacia amorosa importadas de Bombaim. Vivera intensamente os seus quarenta e sete anos. Dizia sempre que os seres humanos deixavam passar a existência como se fossem viver para sempre e que essa era a sua perdição. Ria-se da vida e da morte, do divino e do humano. Cozinhava melhor do que os grandes chefes do *Guia Michelin* e comia por todos eles. Durante o tempo que passou a seu lado, Salvat transformou-se no seu mestre e no seu melhor amigo. Germán sempre soube que o que chegara a ser na vida, como homem e como pintor, devia-o a Quim Salvat.

Salvat era um dos poucos privilegiados que conhecia o segredo da luz. Dizia que a luz era uma bailarina caprichosa e conhecedora dos seus encantos. Nas suas mãos, a luz transformava-se em linhas maravilhosas que iluminavam a tela e abriam portas na alma. Pelo menos, era o que explicava o texto promocional dos seus catálogos de exposição.

– Pintar é escrever com a luz – afirmava Salvat. – Primeiro deves aprender o seu alfabeto; depois, a sua gramática. Só então poderás ter o estilo e a magia.

Foi Quim Salvat quem ampliou a sua visão do mundo, levando-o consigo nas suas viagens. Assim percorreram Paris, Viena, Berlim,

Roma... Germán não demorou a compreender que Salvat era tão bom vendedor da sua arte como pintor, talvez melhor. Era essa a chave do seu êxito.

– De cada mil pessoas que adquirem um quadro ou uma obra de arte, só uma tem uma remota ideia daquilo que compra – explicava-lhe Salvat, sorridente. – As outras não compram a obra, compram o artista, o que ouviram e, quase sempre, o que imaginam acerca dele. Este negócio não é diferente de vender remédios de curandeiro ou filtros de amor, Germán. A diferença está no preço.

O grande coração de Quim Salvat parou a 17 de Julho de 1938. Alguns afirmaram que por culpa dos excessos. Germán sempre acreditou que foram os horrores da guerra que mataram a fé e a vontade de viver do seu mentor.

– Poderia pintar mil anos – murmurou Salvat no seu leito de morte – e não mudaria nada a barbárie, a ignorância e a bestialidade dos homens. A beleza é um sopro contra o vento da realidade, Germán. A minha arte não tem sentido. Não serve para nada...

A interminável lista das amantes, dos credores, amigos e colegas, as dezenas de pessoas a quem ajudara sem pedir nada em troca, choraram-no no seu enterro. Sabiam que naquele dia se apagava uma luz no mundo e que, daí para a frente, todos estariam mais sós, mais vazios.

Salvat deixou-lhe uma modestíssima quantia em dinheiro e o seu estúdio. Encarregou-o de distribuir o resto (que não era muito, porque Salvat gastava mais do que ganhava e antes de ganhar) entre as suas amadas e amigos. O notário que se encarregara do testamento entregou a Germán uma carta que Salvat lhe confiara ao pressentir que o fim estava próximo. Devia abri-la depois da sua morte.

Com lágrimas nos olhos e a alma despedaçada, o jovem vagueou sem rumo uma noite inteira pela cidade. A alvorada surpreendeu-o no quebra-mar do porto e foi ali, às primeiras claridades do dia, que leu as últimas palavras que Quim Salvat lhe deixara.

Querido Germán

Não te disse isto em vida porque julguei que devia esperar o momento oportuno. Mas receio não poder estar aqui quando ele chegar.

Isto é o que tenho para te dizer. Nunca conheci nenhum pintor com maior talento do que tu, Germán. Ainda não sabes nem podes entender, mas está em ti e o meu único mérito foi reconhecê-lo. Aprendi mais de ti do que tu aprendeste de mim, sem o saberes. Gostaria que tivesses tido o mestre que mereces, alguém que tivesse guiado o teu talento melhor do que este pobre aprendiz. A luz fala em ti, Germán. Nós apenas ouvimos. Nunca o esqueças. De agora em diante, o teu mestre passará a ser o teu aluno e o teu melhor amigo, sempre.

Salvat

Uma semana mais tarde, fugindo de recordações intoleráveis, Germán partiu para Paris. Tinham-lhe oferecido um lugar como professor numa escola de pintura. Não voltaria a pôr os pés em Barcelona durante dez anos.

Em Paris, Germán criou uma reputação como retratista de certo prestígio e descobriu uma paixão que nunca mais o abandonaria: a ópera. Os seus quadros começavam a vender-se bem e um *marchand* que o conhecia dos seus tempos com Salvat decidiu representá-lo. Além do ordenado como professor, as suas obras vendiam-se suficientemente bem para lhe permitirem uma vida simples mas digna. Fazendo alguns ajustes e com a ajuda do director da escola, que era primo de meia Paris, conseguiu reservar uma poltrona no teatro da Ópera para toda a temporada. Nada ostensivo: plateia na sexta fila e um tanto para a esquerda. Vinte por cento do palco não era visível, mas a música chegava gloriosa, ignorando o preço de assentos e camarotes.

Foi lá que a viu pela primeira vez. Parecia uma criatura saída de um dos quadros de Salvat, mas nem a sua beleza podia fazer justiça à sua voz. Chamava-se Kirsten Auermann, tinha dezanove anos e, de acordo com o programa, era uma das jovens promessas da lírica mundial. Apresentaram-lha naquela mesma noite, na recepção que a companhia organizava depois do espectáculo. Germán infiltrou-se, afirmando que era o crítico musical de *Le Monde*. Ao apertar-lhe a mão, Germán ficou mudo.

– Para ser um crítico, o senhor fala muito pouco e com bastante sotaque – brincou Kirsten.

Germán decidiu naquele momento que ia casar com aquela mulher nem que fosse a última coisa que fizesse na vida. Quis convocar todas as artes de sedução que vira Salvat usar durante anos. Mas Salvat só havia um e tinham quebrado o molde. Assim começou um longo jogo do rato e do gato que se prolongou durante seis anos e que acabou numa pequena capela da Normandia, uma tarde de Verão de 1946. No dia do casamento, o espectro da guerra ainda se cheirava no ar como o fedor do cadáver escondido.

Kirsten e Germán regressaram a Barcelona passado pouco tempo e instalaram-se em Sarriá. Na sua ausência, a mansão transformara-se num fantasmagórico museu. A luminosidade de Kirsten e três semanas de limpezas fizeram o resto.

A casa viveu uma época de esplendor como nunca conhecera. Germán pintava constantemente, possuído por uma energia que nem ele próprio sabia explicar. As suas obras começaram a ganhar cotação nas altas esferas e em breve possuir «um Blau» passou a ser um requisito *sine qua non* da boa sociedade. De repente, o seu pai orgulhava-se em público do êxito de Germán. «Sempre acreditei no seu talento e que ia triunfar», «está-lhe no sangue, como todos os Blau» e «não há pai mais orgulhoso do que eu» passaram a ser as suas frases favoritas e, à força de tanto as repetir, chegou a acreditar nelas. *Marchands* e salas de exposições que anos antes não se incomodavam a dar-lhe os bons-dias esforçavam-se por estabelecer amizade com ele. E no meio de todo este vendaval de vaidades e hipocrisias, Germán nunca esqueceu o que Salvat lhe ensinara.

A carreira lírica de Kirsten também ia de vento em popa. Na época em que começaram a ser comercializados os discos de 78 rotações, ela foi uma das primeiras vozes a imortalizar o repertório. Foram anos de felicidade e de luz na mansão de Sarriá, anos em que tudo parecia possível e durante os quais não se podiam adivinhar sombras na linha do horizonte.

Ninguém deu importância às tonturas e aos desmaios de Kirsten até que foi demasiado tarde. O êxito, as viagens, a tensão das estreias explicavam tudo. No dia em que Kirsten foi observada pelo doutor Cabrils, duas notícias alteraram o seu mundo para sempre. A primeira: Kirsten estava grávida. A segunda: uma doença irreversível do sangue estava lentamente a roubar-lhe a vida. Só lhe restava um ano. Dois, no máximo.

No mesmo dia, ao sair do consultório do médico, Kirsten encomendou um relógio de ouro com uma inscrição dedicada a Germán na General Relojera Suiza da Via Augusta.

Para Germán, em quem fala a luz.
K. A.
19-1-1964

Aquele relógio contaria as horas que lhes restavam juntos.

Kirsten abandonou os palcos e a carreira. A gala de despedida celebrou-se no Liceo de Barcelona, com *Lakmé,* de Delibes, o seu compositor preferido. Ninguém mais ouviria de novo uma voz como aquela. Durante os meses de gravidez, Germán pintou uma série de retratos da mulher que superavam qualquer obra anterior. Nunca os quis vender.

A 26 de Setembro de 1964, uma menina de cabelo claro e olhos cor de cinza, idênticos aos da mãe, nasceu na casa de Sarriá. Chamar-se-ia Marina e teria sempre no rosto a imagem e a luminosidade da mãe. Kirsten Auermann morreu seis meses depois, no mesmo quarto em que dera à luz a filha e onde passara as horas mais felizes da sua vida com Germán. O marido segurava-lhe entre as suas a mão pálida e trémula. Já estava fria quando a madrugada lha levou como um suspiro.

Um mês depois da sua morte, Germán entrou de novo no seu estúdio, que ficava no sótão da vivenda familiar. A pequena Marina brincava a seus pés. Germán pegou no pincel e tentou fazer um traço sobre a tela. Os olhos encheram-se-lhe de lágrimas e o pincel caiu-lhe das mãos. Germán Blau nunca mais voltou a pintar. A luz no seu interior calara-se para sempre.

Capítulo 9

Durante o resto do Outono, as minhas visitas a casa de Germán e Marina transformaram-se num ritual diário. Passava os dias a sonhar acordado na aula, esperando o momento de fugir rumo àquele beco secreto. Lá me esperavam os meus novos amigos, à excepção de segunda-feira, em que Marina acompanhava Germán ao hospital para o tratamento. Bebíamos café e conversávamos nas salas na penumbra. Germán conseguiu ensinar-me os rudimentos do xadrez. Apesar das lições, Marina dava-me xeque-mate em cinco ou seis minutos, mas eu não perdia a esperança.

Pouco a pouco, quase sem me dar conta, o mundo de Germán e Marina passou a ser o meu. A sua casa, as recordações que pareciam flutuar no ar... passaram a ser as minhas. Descobri assim que Marina não ia ao colégio para não deixar o pai sozinho e poder cuidar dele. Explicou-me que Germán lhe ensinara a ler, a escrever e a pensar.

– De nada serve toda a geografia, trigonometria e aritmética do mundo se não aprenderes a pensar por ti próprio – justificava-se Marina. – E em nenhum colégio te ensinam isso. Não está no programa.

Germán abrira-lhe a mente para o mundo da arte, da história, da ciência. A biblioteca alexandrina da casa transformara-se no seu universo. Cada um dos seus livros era uma porta para novos mundos e novas ideias. Uma tarde, no final de Outubro, sentámo-nos no parapeito de uma janela do segundo andar a contemplar as luzes distantes do Tibidabo. Marina confessou-me que o seu sonho era ser escritora. Tinha um baú cheio de histórias e contos que ia escrevendo desde os nove anos. Quando lhe pedi que me mostrasse um, olhou-me como se eu estivesse bêbedo e disse-me que nem pensar nisso. *Isto é como o xadrez*, pensei. Era dar tempo ao tempo.

Com frequência ficava a observar Germán e Marina quando eles não reparavam em mim. Brincando, lendo ou enfrentando-se em silêncio diante do tabuleiro de xadrez. O laço invisível que os unia, aquele mundo à parte que tinham construído longe de tudo e de todos, constituía um sortilégio maravilhoso. Um encantamento que às vezes receava quebrar com a minha presença. Havia dias em que, de volta ao internato, me sentia a pessoa mais feliz do mundo apenas por poder partilhá-lo.

Sem saber porquê, fiz daquela amizade um segredo. Não contara nada sobre eles a ninguém, nem sequer ao meu companheiro JF. Em apenas umas semanas, Germán e Marina transformaram-se na minha vida secreta e, para dizer a verdade, na única vida que desejava viver. Recordo uma ocasião em que Germán se retirou para descansar cedo, desculpando-se como sempre com os seus requintados modos de cavalheiro do século XIX. Fiquei só com Marina na sala dos retratos. Sorriu-me enigmaticamente e disse que estava a escrever sobre mim. A ideia deixou-me aterrado.

– Sobre mim? O que queres dizer com escrever sobre mim?

– Quero dizer acerca de ti, não em cima de ti, usando-te como secretária.

– Até aí chego eu.

Marina divertia-se com o meu súbito nervosismo.

– Então? – perguntou. – Ou tens tão fraca opinião de ti próprio que não achas que valha a pena escrever sobre ti?

Não tinha resposta para aquela pergunta. Optei por mudar de estratégia e assumir a ofensiva. Isso ensinara-me Germán nas suas lições de xadrez. Estratégia básica: quando te apanharem com os calções em baixo, desata a gritar e ataca.

– Bem, se é assim, não vais ter outro remédio senão deixar-me ler – declarei.

Marina levantou uma sobrancelha, indecisa.

– Estou no direito de saber o que é escrito sobre mim – acrescentei.

– Se calhar não gostas.

– Se calhar. Ou se calhar gosto.

– Vou pensar.

– Fico à espera.

O frio chegou a Barcelona no estilo habitual: como um meteorito. Num dia apenas, os termómetros começaram a olhar para o umbigo. Exércitos de casacos saíram da reserva substituindo as leves gabardinas outonais. Céus de aço e vendavais que mordiam as orelhas apoderaram-se das ruas. Germán e Marina surpreenderam-me ao oferecer-me um gorro de lã que devia ter custado uma fortuna.

– É para proteger as ideias, amigo Óscar – explicou Germán. – Não vá o cérebro arrefecer.

A meados de Novembro, Marina anunciou-me que Germán e ela iam a Madrid durante uma semana. Um médico de La Paz, uma perfeita sumidade, aceitara submeter Germán a um tratamento que ainda estava em fase experimental e que apenas fora utilizado poucas vezes em toda a Europa.

– Dizem-me que esse médico faz milagres, não sei... – disse Marina.

A ideia de passar uma semana sem eles caiu-me em cima como uma pedra. Os meus esforços para o ocultar foram vãos. Marina lia no meu íntimo como se fosse transparente. Deu-me uma palmada na mão.

– É só uma semana, eh? Depois voltamos a encontrar-nos.

Assenti, sem encontrar palavras de consolo.

– Ontem falei com Germán acerca da possibilidade de cuidares de *Kafka* e da casa durante estes dias... – atirou Marina.

– Com certeza. O que for preciso.

O rosto dela iluminou-se.

– Oxalá esse médico seja tão bom como dizem – disse eu.

Marina olhou-me durante um longo instante. Por detrás do seu sorriso, aqueles olhos de cinza projectavam uma luz de tristeza que me desarmou.

– Oxalá.

O comboio para Madrid partia da estação de Francia às nove da manhã. Escapulira-me do internato ao amanhecer. Com as poupanças que tinha guardado, contratei um táxi para ir buscar Germán e Marina e levá-los à estação. Aquela manhã de domingo estava envolta em brumas azuis que se desvaneciam sob o âmbar de uma madrugada tímida. Fizemos boa parte do trajecto calados. O taxímetro do velho *Seat 1500* tiquetaqueava como um metrónomo.

– Não se devia ter incomodado, amigo Óscar – dizia Germán.

– Não é incómodo nenhum – repliquei. – Está um frio de rachar e não é questão de que nos arrefeça a alma, eh?

Ao chegar à estação, Germán instalou-se num café enquanto Marina e eu íamos à bilheteira levantar os bilhetes reservados. À hora de partir, Germán abraçou-me com tal intensidade que quase desatei a chorar. Com a ajuda de um rapaz subiu para o vagão e deixou-me só para que me despedisse de Marina. O eco de mil vozes e apitos perdia-se sob a enorme abóbada da estação. Olhámo-nos em silêncio, quase de soslaio.

– Bem... – disse.

– Não te esqueças de aquecer o leite porque...

– *Kafka* odeia o leite frio, especialmente depois de um crime, já sei. O menino gato.

O chefe da estação dispunha-se a dar a partida com a bandeirinha vermelha. Marina suspirou.

– Germán está orgulhoso de ti – disse.

– Não sei porquê.

– Vamos sentir a tua falta.

– Isso julgas tu. Anda, vai.

Subitamente, Marina inclinou-se e deixou que os seus lábios roçassem os meus. Antes de poder pestanejar, subiu para o comboio. Fiquei ali, vendo o comboio afastar-se para a boca de névoa. Quando o barulho da máquina se perdeu, comecei a andar para a saída. Enquanto o fazia, pensei que nunca chegara a contar a Marina a estranha visão que presenciara naquela noite de tempestade em sua casa. Com o tempo, eu próprio preferira esquecê-la e acabara por me convencer de que imaginara tudo. Estava já no grande átrio da estação quando um rapaz se aproximou de mim um tanto desajeitado.

– Isto... Toma, deram-me isto para ti.

Estendeu-me um envelope de cor ocre.

– Creio que estás enganado – disse eu.

– Não, não. Aquela senhora disse-me que to desse – insistiu o rapaz.

– Que senhora?

O moço voltou-se para apontar o portal que dava para o Paseo Colón. Fios de bruma varriam os degraus de entrada. Não estava ninguém ali. O rapaz encolheu os ombros e afastou-se.

Perplexo, aproximei-me do pórtico e saí para a rua mesmo a tempo de a identificar. A dama de negro que tínhamos visto no cemitério de Sarriá entrava numa anacrónica carruagem de cavalos. Voltou-se para me olhar durante um instante. O seu rosto permanecia oculto atrás de um véu escuro, uma teia de aranha de aço. Um segundo depois a portinhola da carruagem fechou-se e o cocheiro, envolto num capote cinzento que o cobria por completo, chicoteou os cavalos. A carruagem afastou-se a toda a velocidade por entre o tráfego do Paseo Colón, em direcção às Ramblas, até desaparecer.

Estava desconcertado, sem me aperceber de que segurava o envelope que o rapaz me entregara. Quando reparei nele, abri-o. Continha um cartão envelhecido, onde se podia ler uma morada:

Mikhail Kolvenick
Calle Princesa, 33, 4.º – 2.ª

Voltei o cartão. No verso, o impressor reproduzira o símbolo que marcava o túmulo sem nome do cemitério e da estufa abandonada. Uma borboleta negra com as asas abertas.

Capítulo 10

A caminho da Calle Princesa percebi que estava com fome e parei para comprar um bolo numa padaria em frente da Basílica de Santa María del Mar. Um aroma a pão doce flutuava ao som dos sinos. A Calle Princesa subia pela zona antiga num estreito vale de sombras. Passei em frente de velhos palácios e edifícios que pareciam mais antigos do que a própria cidade. O número 33 mal se conseguia ler semiapagado na fachada de um deles. Entrei num átrio que fazia lembrar o claustro de uma velha capela. Um bloco de caixas de correio oxidadas empalidecia sobre uma parede de azulejos partidos. Procurava nelas em vão o nome de Mikhail Kolvenick quando ouvi uma respiração pesada atrás de mim.

Voltei-me, alerta, e descobri o rosto enrugado de uma velha sentada na portaria. Pareceu-me uma figura de cera, vestida de viúva. Um feixe de claridade roçou-lhe o rosto. Os olhos eram brancos como o mármore. Sem pupilas. Estava cega.

– Quem procura? – perguntou com voz rouca a porteira.

– Mikhail Kolvenick, minha senhora.

Os olhos brancos, vazios, pestanejaram algumas vezes. A anciã negou com a cabeça.

– Deram-me esta morada – afirmei. – Mikhail Kolvenick. Quarto, segunda...

A anciã negou de novo e regressou ao seu estado de imobilidade. Observei naquele momento algo que se movia sobre a mesa da portaria. Uma aranha negra trepava para as mãos enrugadas da porteira. Os seus olhos brancos olhavam o vazio. Silenciosamente, deslizei para as escadas.

Ninguém mudara uma lâmpada naquela escada pelo menos nos últimos trinta anos. Os degraus estavam escorregadios e gastos. Os patamares, poços de escuridão e silêncio. Uma claridade trémula filtrava-se de uma clarabóia no sótão. Ali esvoaçava uma pomba que ficara presa. A segunda porta do quarto andar era uma placa de madeira lavrada, com um ferrolho que parecia de uma ferrovia. Toquei várias vezes e ouvi o eco da campainha a perder-se no interior da casa. Decorreram uns minutos. Toquei outra vez. Mais dois minutos. Comecei a pensar que entrara num túmulo. Uma das centenas de edifícios-fantasma que enfeitiçavam a zona antiga de Barcelona.

De repente, a grade do postigo foi corrida. Fios de luz cortaram a obscuridade. A voz que ouvi era cavernosa. Uma voz que não falava há semanas, talvez meses.

– Quem é?

– Senhor Kolvenick? Mikhail Kolvenick? – perguntei. – Posso falar consigo um momento, por favor?

O postigo fechou-se com brusquidão. Silêncio. Ia tocar de novo quando a porta do apartamento se abriu.

Recortou-se no umbral uma silhueta. O som do pingar de uma torneira chegava do interior do apartamento.

– O que queres, filho?

– Senhor Kolvenick?

– Não sou Kolvenick – cortou a voz. – O meu nome é Sentís. Benjamín Sentís.

– Desculpe, senhor Sentís, mas deram-me esta morada e...

Estendi-lhe o cartão que me entregara o rapaz da estação. Uma mão rígida agarrou-o e aquele homem, cujo rosto não podia ver, examinou-o em silêncio durante um bom bocado antes de mo devolver.

– Mikhail Kolvenick não vive aqui já há muitos anos.

– Conhece-o? – perguntei. – Talvez me possa ajudar.

Outro longo silêncio.

– Entra – disse por fim Sentís.

Benjamín Sentís era um homem corpulento que vivia metido num roupão de flanela grená. Segurava entre os lábios um cachimbo apagado e tinha o rosto enfeitado com um desses bigodes que se ligam às patilhas, estilo Júlio Verne. O apartamento ficava acima da selva de telhados do bairro velho e flutuava numa claridade etérea. As torres da catedral distinguiam-se à distância e a montanha de Montjuïc emergia ao longe. As paredes estavam nuas. Um piano coleccionava camadas de pó e caixas com diários desaparecidos povoavam o chão. Não havia nada naquela casa que falasse do presente. Benjamín Sentís vivia em pretérito mais-que-perfeito.

Sentámo-nos na sala que dava para a varanda e Sentís examinou de novo o cartão.

– Por que procuras Kolvenick? – perguntou.

Decidi explicar-lhe tudo desde o princípio, desde a nossa visita ao cemitério até à estranha aparição da dama de negro aquela manhã na estação de Francia. Sentís ouvia-me com o olhar perdido, sem mostrar qualquer emoção. No fim do meu relato, um incómodo silêncio ficou a pairar entre nós. Sentís olhou-me demoradamente. Tinha olhar de lobo, frio e penetrante.

– Mikhail Kolvenick ocupou este apartamento durante quatro anos, pouco tempo depois de chegar a Barcelona – disse. – Ainda há aí para trás alguns dos seus livros. É o que resta dele.

– Não terá o senhor a sua morada actual? Sabe onde o posso encontrar?

Sentís riu.

– Experimenta no Inferno.

Olhei-o sem compreender.

– Mikhail Kolvenick morreu em 1948.

Conforme me explicou Benjamín Sentís naquela manhã, Mikhail Kolvenick chegara a Barcelona no final de 1919. Tinha nessa altura pouco mais de vinte anos e era natural da cidade de Praga. Kolvenick fugia de uma Europa devastada pela Grande Guerra. Não falava uma palavra de catalão nem de castelhano, embora se expressasse em francês e alemão com fluência. Não tinha dinheiro, amigos nem conhecidos naquela cidade difícil e hostil. Passou a sua primeira noite em Barcelona no calabouço, ao ser surpreendido a dormir num saguão para se proteger do frio. Na cadeia, dois companheiros de cela acusados de roubo, assalto e fogo-posto decidiram espancá-lo, alegando que o país estava a ir por água abaixo por culpa de estrangeiros piolhosos. As três costelas partidas, as contusões e as lesões internas curar-se-iam com o tempo, mas perdeu o ouvido esquerdo para sempre. «Lesão do nervo», sentenciaram os médicos. Um mau princípio. Mas Kolvenick dizia sempre que o que começa mal só pode acabar melhor. Dez anos mais tarde, Mikhail Kolvenick chegaria a ser um dos homens mais ricos e poderosos de Barcelona.

Na enfermaria da cadeia conheceu o que, com os anos, haveria de se tornar o seu melhor amigo, um jovem médico de ascendência inglesa chamado Joan Shelley. O doutor Shelley falava um pouco de alemão e sabia por experiência própria o que era sentir-se estrangeiro em terra estranha. Graças a ele, Kolvenick conseguiu um emprego, quando teve alta, numa pequena empresa chamada Velo-Granell. A Velo-Granell fabricava artigos de ortopedia e próteses médicas. O conflito de Marrocos e a Grande Guerra na Europa criaram um enorme mercado para estes produtos. Legiões de homens destroçados, para glória de banqueiros, chanceleres, generais, agentes da Bolsa e outros pais da pátria, tinham ficado mutilados e destruídos para toda a vida em nome da liberdade, da democracia, do império, da raça ou da bandeira.

As oficinas da Velo-Granell ficavam junto do mercado do Borne. No seu interior, as vitrinas de braços, olhos, pernas e articulações artificiais lembravam ao visitante a fragilidade do corpo humano. Com um ordenado modesto e a recomendação da empresa, Mikhail Kolvenick conseguiu alojamento num apartamento da Calle Princesa. Leitor voraz, em ano e meio aprendera a arranhar em catalão e castelhano. O seu talento e engenho valeram-lhe que em breve fosse considerado como um dos empregados-chave da Velo-Granell. Kolvenick tinha vastos conhecimentos de medicina, cirurgia e anatomia. Desenhou um revolucionário mecanismo pneumático que permitia articular o movimento em próteses de pernas e braços. O dispositivo reagia aos impulsos musculares e dotava o paciente de uma mobilidade sem precedentes. A referida invenção colocou a Velo-Granell na vanguarda do ramo. Aquilo foi apenas o princípio. O estirador de Kolvenick não parava de dar à luz novos avanços e, por fim, foi nomeado engenheiro-chefe do ateliê de desenho e desenvolvimento.

Meses mais tarde, um infeliz incidente pôs à prova o talento do jovem Kolvenick. O filho do fundador da Velo-Granell sofreu um terrível acidente na fábrica. Uma prensa hidráulica cortou-lhe as duas mãos como as mandíbulas de um dragão. Kolvenick trabalhou incansavelmente durante semanas para criar umas novas mãos de madeira, metal e porcelana, cujos dedos respondiam ao comando dos músculos e tendões do antebraço. A solução imaginada por Kolvenick utilizava as correntes eléctricas dos estímulos nervosos do braço para articular o movimento. Quatro meses depois do acidente, a vítima estreava umas mãos mecânicas que lhe permitiam agarrar objectos, acender um cigarro ou abotoar a camisa sem ajuda. Todos estiveram de acordo que desta vez Kolvenick superara tudo o que era possível imaginar. Ele, pouco amigo de elogios e euforias, afirmou que aquilo não era mais do que o despontar de uma nova ciência. Como recompensa pelo seu trabalho, o fundador da Velo-Granell nomeou-o director-geral da empresa e ofereceu-lhe um lote de acções que o transformava virtualmente num dos donos juntamente com o homem a quem o seu engenho dotara de novas mãos.

Sob a direcção de Kolvenick, a Velo-Granell tomou novo rumo. Ampliou o seu mercado e diversificou a sua linha de produtos. A empresa adoptou o símbolo de uma borboleta negra com as asas abertas, cujo significado Kolvenick nunca chegou a explicar. A fábrica foi ampliada para o lançamento de novos mecanismos: membros articulados, válvulas circulatórias, fibras ósseas e um sem-número de invenções. O parque de atracções do Tibidabo povoou-se de autómatos criados por Kolvenick como passatempo e campo de experiências. A Velo-Granell exportava para toda a Europa, América e Ásia. O valor das acções e a fortuna pessoal de Kolvenick dispararam, mas ele negava-se a abandonar aquele modesto apartamento da Calle Princesa. Segundo dizia, não havia motivos para mudar. Era um homem só, de vida simples, e aquele alojamento bastava para ele e para os seus livros.

As coisas haviam de mudar com o aparecimento de uma nova peça no tabuleiro. Eva Irinova era a estrela de um novo espectáculo de êxito no Teatro Real. A jovem, de origem russa, tinha apenas dezanove anos. Dizia-se que pela sua beleza se tinham suicidado cavalheiros em Paris, Viena e outras grandes capitais. Eva Irinova viajava rodeada por duas estranhas personagens, Serguei e Tatiana Glazunov, irmãos gémeos. Os irmãos Glazunov agiam como representantes e tutores de Eva Irinova. Dizia-se que Serguei e a jovem diva eram amantes, que a sinistra Tatiana dormia dentro de um caixão nas caves do palco do Teatro Real, que Serguei fora um dos assassinos da dinastia Romanov, que Eva tinha a capacidade de falar com os espíritos dos defuntos... Toda a espécie de rocambolescas invenções teatrais alimentavam a fama da bela Irinova, que tinha Barcelona na mão.

A lenda de Irinova chegou aos ouvidos de Kolvenick. Intrigado, foi uma noite ao teatro para verificar por si próprio a causa de tanto alvoroço. Numa noite, Kolvenick ficou fascinado pela jovem. Desde aquele dia, o camarim de Irinova transformou-se literalmente num leito de rosas. Dois meses depois da revelação, Kolvenick decidiu alugar um camarote no teatro. Ia lá todas as noites contemplar enlevado o objecto da sua adoração. Não vale a pena dizer que o assunto era tema de mexericos de toda a cidade. Um dia, Kolvenick convocou os seus advogados e deu-lhes instruções para que fizessem uma oferta ao empresário Daniel Mestres. Queria adquirir aquele velho teatro e assumir todas as dívidas que acumulava. A sua intenção era reconstruí-lo a partir dos alicerces e transformá-lo no maior palco da Europa. Um deslumbrante teatro dotado de todos os avanços técnicos e consagrado à sua adorada Eva Irinova. A direcção do teatro rendeu-se à sua generosa oferta. O novo projecto foi baptizado como o Gran Teatro Real. Um dia depois, Kolvenick propôs casamento a Eva Irinova em perfeito russo. Ela aceitou.

Depois do casamento, o casal planeava mudar-se para uma mansão de sonho que Kolvenick estava a mandar construir junto do Parque Güell. O próprio Kolvenick entregara um desenho preliminar da faustosa construção ao ateliê de arquitectura de Sunyer, Balcells i Baró. Dizia-se que nunca fora gasta semelhante quantia numa residência particular em toda a história de Barcelona, o que só por si dizia muito. No entanto, nem todos estavam satisfeitos com este conto de fadas. O sócio de Kolvenick na Velo-Granell não via com bons olhos a obsessão deste. Receava que destinasse fundos da empresa para financiar o seu delirante projecto de transformar o Teatro Real na oitava maravilha do mundo moderno. Não andava muito longe da verdade. Como se isso fosse pouco, começavam a circular por toda a cidade rumores em torno de práticas pouco ortodoxas por parte de Kolvenick. Surgiram dúvidas em relação ao seu passado e à fachada de homem que se construíra a si próprio que fazia questão de projectar. A maioria desses rumores morria antes de chegar às impressoras dos jornais, graças à implacável maquinaria legal da Velo-Granell. O dinheiro não compra a felicidade, costumava dizer Kolvenick; mas compra tudo o resto.

Por seu lado, Serguei e Tatiana Glazunov, os dois sinistros guardiães de Eva Irinova, viam perigar o seu futuro. Não havia quarto para eles na nova mansão em construção. Kolvenick, prevendo o problema com os gémeos, ofereceu-lhes uma generosa soma de dinheiro para anular o seu suposto contrato com Irinova. Em troca, deviam abandonar o país e comprometer-se a nunca mais voltar nem tentar entrar em contacto com Eva Irinova. Serguei, inflamado de fúria, recusou abertamente e jurou a Kolvenick que nunca se livraria deles.

Naquela mesma madrugada, enquanto Serguei e Tatiana saíam de um pátio na Calle Sant Pau, uma rajada de tiros efectuada de uma carruagem quase acabou com as suas vidas. O ataque foi atribuído aos anarquistas. Uma semana mais tarde, os gémeos assinaram o documento onde se comprometiam a libertar Eva Irinova e a desaparecer para sempre. A data do casamento entre Mikhail Kolvenick e Eva Irinova foi fixada para 24 de Junho de 1935. O palco: a Catedral de Barcelona.

A cerimónia, que alguns compararam com a coroação do rei Afonso XIII, teve lugar numa manhã resplandecente. As multidões ocuparam todos os espaços da avenida da catedral, ansiosas por se impregnarem do fausto e da grandeza do espectáculo. Eva Irinova nunca estivera tão deslumbrante. Ao som da *Marcha Nupcial* de Wagner, interpretada pela orquestra do Liceo disposta nas escadarias da catedral, os noivos desceram até à carruagem que os esperava. Quando faltavam apenas três metros para chegar ao coche de cavalos brancos, uma figura rompeu o cordão de segurança e precipitou-se para os noivos. Ouviram-se gritos de alarme. Ao voltar-se, Kolvenick enfrentou os olhos injectados de sangue de Serguei Glazunov. Nenhum dos presentes conseguiria jamais esquecer o que aconteceu a seguir. Glazunov puxou de um frasco de vidro e lançou o conteúdo sobre o rosto de Eva Irinova. O ácido queimou o véu como uma cortina de vapor. Um uivo rasgou o céu. A multidão transformou-se numa horda confusa e, num abrir e fechar de olhos, o assaltante perdeu-se entre a multidão.

Kolvenick ajoelhou-se junto da noiva e tomou-a nos braços. As feições de Eva Irinova desfaziam-se sob a acção do ácido como uma aguarela fresca na água. A pele fumegante contraiu-se num pergaminho ardente e o cheiro a carne queimada inundou o ar. O ácido não atingira os olhos da jovem. Neles se podia ler o horror e a agonia. Kolvenick quis salvar o rosto da esposa aplicando nele as mãos. Apenas conseguiu arrancar pedaços de carne morta, enquanto o ácido lhe devorava as luvas. Quando Eva perdeu por fim a consciência, a sua cara não passava de uma grotesca máscara de osso e carne viva.

O renovado Teatro Real nunca chegou a abrir as portas. Depois da tragédia, Kolvenick levou a mulher para a mansão inacabada do Parque Güell. Eva Irinova nunca mais voltou a pôr os pés fora daquela casa. O ácido destruíra-lhe por completo o rosto e afectara as cordas vocais. Dizia-se que comunicava por intermédio de notas escritas num bloco e que passava semanas inteiras sem sair do quarto.

Naquela altura, os problemas financeiros da Velo-Granell começaram a surgir com mais gravidade do que se suspeitava. Kolvenick sentia-se encurralado e em breve deixou de aparecer na empresa. Contavam que contraíra uma estranha doença que o retinha cada vez mais tempo na mansão. Numerosas irregularidades na gestão da Velo-Granell e em estranhas transacções que o próprio Kolvenick realizara no passado vieram à tona. Uma febre de intrigas e de obscuras acusações aflorou com terrível virulência. Kolvenick, recolhido no seu refúgio com a sua amada Eva, transformou-se numa personagem de lenda negra. Um pestífero. O governo expropriou o consórcio da sociedade Velo-Granell. As autoridades judiciais estavam a investigar o caso, que, com um processo de mais de mil folhas, ainda só começara a ser instruído.

Nos anos seguintes, Kolvenick perdeu a fortuna. A mansão transformou-se num castelo de ruínas e trevas. O pessoal, depois de meses sem ordenado, abandonou-os. Apenas o motorista pessoal de Kolvenick permaneceu fiel. Todo o tipo de rumores horripilantes começou a espalhar-se. Comentava-se que Kolvenick e a esposa viviam no meio de ratos, vagueando pelos corredores daquele túmulo onde se encerraram em vida.

Em Dezembro de 1948, um pavoroso incêndio devorou a mansão dos Kolvenick. As chamas puderam ser vistas até Mataró, afirmou o jornal *El Brusi*. Os que o recordam garantem que o céu de Barcelona se transformou num manto escarlate e que nuvens de cinza varreram a cidade ao amanhecer, enquanto a multidão contemplava em silêncio o esqueleto fumegante das ruínas. Os corpos de Kolvenick e Eva foram encontrados carbonizados no sótão, abraçados um ao outro. Esta imagem apareceu na fotografia de capa de *La Vanguardia* sob o título «O fim de uma era».

No início de 1949, Barcelona começava já a esquecer a história de Mikhail Kolvenick e Eva Irinova. A grande urbe estava irresistivelmente a mudar e o mistério da Velo-Granell fazia parte de um passado lendário, condenado a perder-se para sempre.

Capítulo 11

O relato de Benjamín Sentís perseguiu-me durante toda a semana como uma sombra furtiva. Quanto mais voltas lhe dava mais tinha a impressão de que faltavam peças na sua história. Quais, já era outra questão. Estes pensamentos roíam-me de sol a sol enquanto esperava com impaciência o regresso de Germán e Marina.

À tarde, quando acabavam as aulas, ia a casa deles verificar se estava tudo em ordem. *Kafka* esperava-me sempre junto da porta principal, às vezes com os despojos de alguma caçada nas garras. Deitava-lhe leite no prato e conversávamos; isto é, ele bebia o leite e eu monologava. Mais do que uma vez tive a tentação de aproveitar a ausência dos donos para explorar a residência, mas resisti a fazê-lo. O eco da sua presença sentia-se em cada recanto. Habituei-me a esperar o anoitecer no casarão vazio, ao calor da sua companhia invisível. Sentava-me no salão dos quadros e contemplava durante horas os retratos que Germán Blau pintara da esposa quinze anos antes. Neles via uma Marina adulta, a mulher em que já se estava a transformar. Perguntava a mim mesmo se um dia seria capaz de criar algo de semelhante valor. De algum valor.

No domingo espetei-me como um prego na estação de Francia. Ainda faltavam duas horas para a chegada do expresso de Madrid. Ocupei-as percorrendo o edifício. Sob a sua abóbada, comboios e pessoas estranhas reuniam-se como peregrinos. Sempre pensara que as velhas estações de caminho-de-ferro eram um dos poucos lugares mágicos que restavam no mundo. Nelas se misturavam os fantasmas de recordações e despedidas com o início de centenas de viagens para destinos distantes, sem regresso. *Se um dia me perder, procurem-me numa estação de comboios*, pensei.

O apito do expresso de Madrid arrancou-me às minhas bucólicas meditações. O comboio irrompeu na estação a pleno galope. Enfiou para a sua via e o gemido dos travões inundou o espaço. Lentamente, com a sobriedade própria da sua tonelagem, o comboio parou. Os primeiros passageiros começaram a sair, vultos sem nome. Percorri o cais com o olhar, enquanto o meu coração batia, acelerado. Dezenas de rostos desconhecidos desfilaram à minha frente. De repente duvidei se me teria enganado de dia, de comboio, de estação, de cidade ou de planeta. E então ouvi, atrás de mim, uma voz inconfundível.

– Mas que grande surpresa, amigo Óscar. Sentimos a sua falta.

– O mesmo digo eu – respondi, apertando a mão do idoso pintor.

Marina descia da carruagem. Usava o mesmo vestido branco do dia da partida. Sorriu-me em silêncio, o olhar brilhante.

– E que tal estava Madrid? – improvisei, agarrando na pasta de Germán.

– Delicioso. E sete vezes maior do que da última vez que lá estive – disse Germán. – Se não pára de crescer, um destes dias essa cidade vai transbordar da meseta.

Detectei no tom de Germán um bom humor e uma energia especiais. Confiei que aquilo fosse sinal de que as notícias do médico de La Paz eram esperançosas. A caminho da saída, enquanto Germán se entregava, brincalhão, a uma conversa com um atónito rapaz sobre quanto tinha avançado a ciência ferroviária, tive oportunidade de ficar a sós com Marina. Ela apertou-me a mão com força.

– Como correu tudo? – murmurei. – Germán parece animado.

– Bem. Muito bem. Obrigada por nos vires receber.

– Obrigado a ti por regressares – disse eu. – Barcelona esteve muito vazia nestes dias... Tenho um monte de coisas para te contar.

Mandámos parar um táxi em frente da estação, um velho *Dodge* que fazia mais barulho do que o expresso de Madrid. Enquanto subíamos pelas Ramblas, Germán contemplava as pessoas, as bancas de rua e os quiosques de flores e sorria, satisfeito.

– Podem dizer o que quiserem, mas não há uma rua como esta em nenhuma cidade do mundo, amigo Óscar. Pode rir-se de Nova Iorque.

Marina aprovava os comentários do pai, que parecia renascido e mais novo depois daquela viagem.

– Amanhã não é feriado? – perguntou de repente Germán.

– É – disse eu.

– Ou seja, não tem aulas...

– Tecnicamente, não.

Germán desatou a rir e por um segundo julguei ver nele o rapaz que um dia fora, décadas antes.

– E diga-me, tem o dia ocupado, amigo Óscar?

Às oito da manhã já estava lá em casa, tal como me pedira Germán. Na noite anterior prometera ao meu tutor que todas as noites daquela semana dedicaria o dobro das horas a estudar se me deixasse livre aquela segunda-feira, dado que era feriado.

– Não sei no que andas metido ultimamente. Isto não é um hotel, mas também não é uma prisão. O teu comportamento é da tua responsabilidade... – fez notar o padre Seguí, desconfiado. – Tu lá sabes o que fazes, Óscar.

Ao chegar à mansão de Sarriá encontrei Marina na cozinha preparando uma cesta com sanduíches e termos para as bebidas. *Kafka* seguia-lhe atento os movimentos, enquanto se lambia.

– Onde vamos? – perguntei, intrigado.

– Surpresa – respondeu Marina.

Pouco depois apareceu Germán, eufórico e jovial. Vestia como um piloto de rali dos anos de 1920. Apertou-me a mão e perguntou-me se lhe podia dar uma ajuda na garagem. Assenti. Acabava de descobrir que tinham garagem. De facto, tinham três, como verifiquei ao dar a volta à propriedade juntamente com Germán.

– Alegro-me que se tenha podido juntar a nós, Óscar.

Parou em frente da terceira porta de garagem, um alpendre do tamanho de uma pequena casa coberto de hera. A tranca da porta chiou ao abrir-se. Uma nuvem de pó inundou o interior mergulhado em trevas. Aquele lugar tinha o aspecto de ter estado fechado vinte anos. Restos de uma velha motocicleta, ferramentas enferrujadas e caixas empilhadas sob um manto de pó com a espessura de uma alcatifa persa. Vislumbrei uma lona cinzenta que cobria o que devia ser um automóvel. Germán agarrou numa ponta da lona e indicou-me que fizesse o mesmo.

– Ao três? – perguntou.

Ao sinal, puxámos ambos com força e a lona deslizou como o véu de uma noiva. Quando a nuvem de pó se espalhou na brisa, a ténue luz que se filtrava por entre o arvoredo revelou uma visão. Um deslumbrante *Tucker* dos anos de 1950, cor de vinho e de jantes cromadas, dormia no interior daquela caverna. Olhei Germán, atónito. Ele sorriu, orgulhoso.

– Já não se fazem carros assim, amigo Óscar.

– Arrancará? – perguntei, observando aquela peça de museu, segundo a minha avaliação.

– Isto que está a ver é um *Tucker*, Óscar. Não arranca, cavalga.

Uma hora mais tarde, encontrávamo-nos a cinzelar a estrada da costa. Germán ia ao volante, equipado com os seus adornos de pioneiro do automobilismo e um sorriso de orelha a orelha. Marina e eu viajávamos a seu lado, à frente. *Kafka* tinha para ele todo o assento traseiro, onde dormia placidamente. Todos os carros nos ultrapassavam, mas os seus ocupantes voltavam-se para contemplar o *Tucker*, com espanto e admiração.

– Quando há classe, a velocidade é uma coisa sem importância – explicava Germán.

Já estávamos perto de Blanes e eu continuava sem saber para onde nos dirigíamos. Germán estava absorto no volante e não quis quebrar a sua concentração. Guiava com a mesma galanteria que em tudo o caracterizava, dando passagem até às formigas e cumprimentando ciclistas, transeuntes e motoristas da Guarda Civil. Ultrapassado Blanes, um sinal indicou-nos a vila costeira de Tossa de Mar. Voltei-me para Marina e ela piscou-me um olho. Lembrei-me que talvez fôssemos ao castelo de Tossa, mas o *Tucker* deu a volta à povoação e meteu pela apertada estrada que, seguindo a costa, continuava para norte. Mais do que uma estrada, aquilo era uma faixa suspensa entre o céu e as escarpas que serpenteava dando centenas de curvas apertadas. Por entre os ramos dos pinheiros que se fixavam em íngremes encostas podia ver-se o mar estendido como um manto azul-incandescente. Uma centena de metros mais abaixo, dezenas de enseadas e cotovelos inacessíveis traçavam uma rota secreta entre Tossa de Mar e a Punta Prima, junto ao porto de Sant Feliu de Guíxols, a uma vintena de quilómetros.

Ao fim de uns vinte minutos, Germán estacionou o carro na berma da estrada. Marina olhou para mim, indicando que tínhamos chegado. Saímos do carro e *Kafka* afastou-se na direcção dos pinheiros, como se conhecesse o caminho. Enquanto Germán se assegurava de que o *Tucker* estivesse bem travado e não fosse pela ladeira abaixo, Marina aproximou-se da escarpa que caía sobre o mar. Juntei-me a ela e contemplei a vista. A nossos pés, uma enseada em forma de meia lua abraçava uma língua de mar de um verde transparente. Mais adiante, rochas e praias desenhavam um arco até à Punta Prima, onde a silhueta da ermida de Sant Elm se erguia como uma sentinela no alto da montanha.

– Anda, vamos – encorajou-me Marina.

Segui-a por entre os pinheiros. A vereda atravessava a propriedade de uma antiga casa abandonada que os arbustos tinham feito sua. Dali, uma escadaria escavada na rocha deslizava até à praia de pedras douradas. Um bando de gaivotas levantou voo ao ver-nos e retirou-se para as escarpas que coroavam a enseada, desenhando uma espécie de basílica de rocha, mar e luz. A água era tão cristalina que se podia ler nela cada ondulação da areia por baixo da superfície. Um pico de rocha erguia-se no centro como a proa de um barco encalhado. O cheiro do mar era intenso e uma brisa com sabor a sal penteava a costa. O olhar de Marina perdeu-se no horizonte de prata e bruma.

– Este é o meu recanto favorito do mundo – disse.

Marina empenhou-se em mostrar-me os meandros das escarpas. Não tardei a compreender que acabaria a partir a cabeça ou a cair a pique na água.

– Não sou uma cabra – precisei, tentando transmitir algum bom senso àquela espécie de alpinismo sem rede.

Marina, ignorando os meus rogos, trepava pelas escarpas limadas pelo mar e enfiava-se por orifícios onde a maré respirava como uma baleia petrificada. Eu, com risco de perder o orgulho, continuava a esperar que em qualquer momento o destino me aplicasse todos os artigos da lei da gravidade. O meu prognóstico não tardou em tornar-se realidade. Marina saltara para o outro lado de uma diminuta ilhota para inspeccionar uma gruta nas rochas. Disse para mim mesmo que, se ela o podia fazer, mais valia tentar também. Um instante depois, estava com as minhas duas patolas submersas nas águas do Mediterrâneo. Tiritava de frio e de vergonha. Marina observava-me das rochas, alarmada.

– Estou bem – gemi. – Não me magoei.

– Está fria?

– Ora! – balbuciei. – É um caldo.

Marina sorriu e, perante os meus olhos atónitos, libertou-se do vestido branco e mergulhou na laguna. Apareceu ao meu lado a rir. Aquilo era uma loucura, naquela época do ano. Mas decidi imitá-la. Nadámos com braçadas enérgicas e depois estendemo-nos ao sol sobre as pedras mornas. Senti o coração acelerado pulsar nas têmporas, não saberia dizer ao certo se por causa da água gelada ou como consequência das transparências que o banho permitia vislumbrar na roupa interior ensopada de Marina. Ela notou o meu olhar e levantou-se para ir buscar o vestido, estendido sobre as rochas. Observei-a a andar por entre as pedras, cada músculo do seu corpo desenhando-se sob a pele húmida ao contornar as rochas. Lambi os lábios salgados e pensei que tinha uma fome de lobo.

Passámos o resto da tarde naquela enseada escondida do mundo, devorando as sanduíches da cesta enquanto Marina contava a peculiar história da proprietária daquela casa de campo abandonada entre os pinheiros.

A casa pertencera a uma escritora holandesa a quem uma estranha doença estava a deixar dia a dia mais cega. Conhecedora do seu destino, a escritora decidiu mandar construir um refúgio sobre as escarpas e retirar-se para ali viver os seus últimos dias de luz, sentada em frente da praia, contemplando o mar.

– Vivia aqui apenas com a companhia de *Sacha*, um pastor-alemão, e dos seus livros favoritos – explicou Marina. – Quando perdeu completamente a vista, sabendo que os seus olhos nunca mais poderiam ver um novo amanhecer sobre o mar, pediu a uns pescadores que costumavam ancorar junto da enseada para se encarregarem de *Sacha*. Dias mais tarde, de madrugada, meteu-se num bote a remos e afastou-se pelo mar dentro. Nunca mais ninguém a voltou a ver.

Por qualquer razão, suspeitei de que a história da autora holandesa era uma invenção de Marina e dei-lho a entender.

– Às vezes, as coisas mais reais apenas acontecem na imaginação, Óscar – disse ela. – Só recordamos o que nunca aconteceu.

Germán adormecera, o rosto coberto por um chapéu e *Kafka* aos pés. Marina observou o pai com tristeza. Aproveitando o sono de Germán, agarrei-a pela mão e afastámo-nos para o outro extremo da praia. Ali, sentados sobre um leito de rocha alisada pelas ondas, expliquei-lhe tudo o que acontecera na sua ausência. Não deixei de lado nenhum pormenor, desde a estranha aparição da dama de negro na estação à história de Mikhail Kolvenick e da Velo-Granell que me contara Benjamín Sentís, sem esquecer a sinistra presença durante a tempestade na sua casa de Sarriá. Ouviu-me em silêncio, com o olhar perdido na água que formava remoinhos a seus pés, ausente. Permanecemos ali um bom bocado, calados, observando a silhueta da distante ermida de Sant Elm.

– O que disse o médico de La Paz? – perguntei por fim.

Marina ergueu os olhos. O Sol começava a cair e um reflexo de âmbar revelou os seus olhos marejados de lágrimas.

– Que não resta muito tempo...

Voltei-me e vi que Germán nos saudava com a mão. Senti que o meu coração se contraía e que um nó insuportável me apertava a garganta.

– Ele não acredita – disse Marina. – É melhor assim.

Olhei-a de novo e verifiquei que limpara as lágrimas com rapidez com expressão optimista. Surpreendi-me a mim mesmo olhando-a fixamente e, sem saber de onde me saiu aquela coragem, inclinei-me sobre o seu rosto procurando-lhe a boca. Marina pousou os dedos sobre os meus lábios e acariciou-me a cara, repelindo-me com suavidade. Um segundo mais tarde, pôs-se em pé e vi-a afastar-se. Suspirei.

Levantei-me e voltei para junto de Germán. Ao aproximar-me, notei que desenhava num pequeno caderno de apontamentos. Recordei que há anos que não pegava num lápis nem num pincel. Germán ergueu os olhos e sorriu-me.

– Vamos a ver qual a sua opinião sobre a parecença, Óscar – disse despreocupado, e mostrou-me o caderno.

Os traços do lápis tinham captado o rosto de Marina com uma surpreendente perfeição.

– É magnífico – murmurei.

– Gosta? Ainda bem.

A silhueta de Marina recortava-se no outro extremo da praia, imóvel em frente ao mar. Germán contemplou-a primeiro a ela e depois a mim. Cortou a folha e estendeu-ma.

– É para si, Óscar, para que não se esqueça da minha Marina.

No regresso, o crepúsculo transformou o mar num charco de cobre fundido. Germán guiava sorridente e não parava de contar histórias sobre os seus anos ao volante daquele velho *Tucker*. Marina ouvia-o, rindo das suas lembranças e sustentando a conversa com fios invisíveis de feiticeira. Eu ia calado, a testa encostada ao vidro da janela e a alma no fundo do bolso. A meio caminho, Marina pegou-me na mão em silêncio e segurou-a entre as suas.

Chegámos a Barcelona ao anoitecer. Germán fez questão de me acompanhar até à porta do internato. Estacionou o *Tucker* em frente do gradeamento e estendeu-me a mão. Marina desceu e entrou comigo. A sua presença queimava-me e não sabia como sair dali.

– Óscar, se há alguma coisa...

– Não.

– Olha, Óscar, há coisas que tu não entendes, mas...

– Isso é evidente – cortei. – Boa noite.

Voltei-me para fugir através do jardim.

– Espera – disse Marina do gradeamento.

Detive-me junto do lago.

– Quero que saibas que hoje foi um dos melhores dias da minha vida – disse.

Quando me voltei para responder, Marina já partira.

Subi cada degrau da escada como se tivesse botas de chumbo. Cruzei-me com alguns dos meus companheiros. Olharam-me de soslaio, como se eu fosse um desconhecido. Os rumores das minhas misteriosas ausências tinham corrido pelo colégio. Pouco me importava. Peguei no jornal diário que estava na mesa do átrio e refugiei-me no meu quarto. Estendi-me na cama com o jornal sobre o peito. Ouvi vozes no corredor. Acendi o candeeiro e mergulhei no mundo para mim irreal do jornal. O nome de Marina parecia escrito em cada linha. *Vai passar*, pensei. Pouco a pouco, a rotina das notícias acalmou-me. Nada melhor do que ler acerca dos problemas dos outros para esquecer os próprios. Guerras, roubos, assassínios, fraudes, hinos, desfiles e futebol. O mundo continuava sem alterações. Mais calmo, continuei a ler. A princípio não notei. Era uma pequena nota, uma notícia breve para encher espaço. Dobrei o jornal e coloquei-o debaixo da luz.

CADÁVER ENCONTRADO NUM TÚNEL DE ESGOTO DO BAIRRO GÓTICO

(Barcelona) Gustavo Berceo, redacção

O corpo de Benjamín Sentí, de oitenta e três anos e natural de Barcelona, foi encontrado na madrugada de sexta-feira numa boca do colector IV da rede de esgotos de Ciutat Vella. Não se sabe como chegou o cadáver até àquele troço, fechado desde 1941. A causa da morte é atribuída a uma paragem cardíaca. Mas, segundo as nossas fontes, tinham amputado as duas mãos ao corpo do falecido. Benjamín Sentís, reformado, adquiriu certa notoriedade nos anos de 1940 devido ao escândalo da empresa Velo-Granell, da qual foi sócio accionista. Nos últimos anos vivera encerrado num pequeno apartamento da Calle Princesa, sem parentes conhecidos e quase arruinado.

Capítulo 12

Passei a noite acordado, dando voltas ao relato que Sentís me fizera. Reli a notícia da sua morte várias vezes, esperando encontrar nela alguma chave secreta entre os pontos e as vírgulas. O ancião ocultara-me que era ele o sócio de Kolvenick na Velo-Granell. Se o resto da sua história era consistente, supus que Sentís devia ter sido o filho do fundador da empresa, o filho que herdara os 50 por cento das acções da companhia quando Kolvenick fora nomeado director-geral. Esta revelação mudava de lugar todas as peças do quebra-cabeças. Se Sentís me mentira nesse ponto, podia ter-me mentido em tudo o resto. A luz do dia surpreendeu-me tentando descobrir que significado tinham a história e o seu desenlace.

Nessa mesma terça-feira escapuli-me durante o intervalo do meio-dia para me encontrar com Marina.

Ela, que parecia ter-me lido o pensamento uma vez mais, esperava no jardim com um exemplar do jornal do dia anterior na mão. Bastou-me um simples olhar para saber que já lera a notícia da morte de Sentís.

– Esse homem mentiu-te...

– E agora está morto.

Marina lançou uma olhadela para a casa, como se receasse que Germán nos pudesse ouvir.

– É melhor irmos dar uma volta – propôs.

Aceitei, embora tivesse de regressar às aulas dentro de menos de meia hora. Os nossos passos dirigiram-nos para o parque de Santa Amelia, na fronteira com o bairro de Pedralbes. Uma mansão recentemente restaurada como centro cívico erguia-se no coração do parque. Um dos antigos salões era agora ocupado por uma cafetaria. Sentámo-nos a uma mesa junto de uma ampla janela. Marina leu em voz alta a notícia que eu quase era capaz de recitar de cor.

– Não diz em nenhum lugar que tenha sido um assassínio – arriscou Marina, com pouca convicção.

– Nem é preciso. Um homem que viveu em reclusão durante vinte anos aparece morto nos esgotos, onde alguém se entreteve a cortar-lhe as duas mãos, como bónus, antes de abandonar o corpo...

– De acordo. É um assassínio.

– É mais do que um assassínio – disse eu, com os nervos em franja. – O que fazia Sentís num túnel abandonado dos esgotos a meio da noite?

Um criado que, aborrecido, limpava copos atrás do balcão, ouvia-nos.

– Baixa a voz – sussurrou Marina.

Assenti e procurei acalmar.

– Talvez devêssemos ir à polícia e explicar o que sabemos – sugeriu Marina.

– Mas não sabemos nada – objectei.

– Sabemos mais do que eles, provavelmente. Há uma semana, uma misteriosa mulher faz-te chegar um cartão com a morada de Sentís e o símbolo da borboleta negra. Tu visitas Sentís, que diz não saber nada sobre o assunto, mas que te conta uma estranha história sobre Mikhail Kolvenick e a empresa Velo-Granell, envolta em turvos problemas há quarenta anos. Por algum motivo, esquece-se de te dizer que fez parte dessa história, que de facto era o filho do sócio fundador, o homem para quem esse tal Kolvenick concebeu duas mãos artificiais depois de um acidente na fábrica... Sete dias mais tarde, Sentís aparece morto nos esgotos...

– Sem as mãos ortopédicas... – acrescentei, recordando que Sentís se mostrara reticente em me apertar a mão ao receber-me.

Ao pensar na sua mão rígida, senti um calafrio.

– Por alguma razão, quando entrámos naquela estufa cruzámo-nos no caminho de qualquer coisa – disse, procurando pôr ordem na minha cabeça –, e agora passámos a fazer parte dela. A mulher de negro veio ter comigo com esse cartão...

– Óscar, não sabemos se foi ter contigo nem quais eram os seus motivos. Nem sequer sabemos quem é...

– Mas ela sabe quem somos e onde nos encontrar. E se ela sabe...

Marina suspirou.

– Telefonemos agora mesmo para a polícia e esqueçamo-nos de tudo isto quanto antes – disse ela. – Não me agrada e, além disso, não é assunto nosso.

– É, desde que decidimos seguir a dama no cemitério...

Marina desviou o olhar para o parque. Dois miúdos brincavam com um papagaio, tentando fazê-lo levantar com o vento. Sem afastar os olhos deles, murmurou lentamente:

– O que sugeres então?

Sabia muito bem o que eu tinha em mente.

O Sol punha-se sobre a igreja da Plaza Sarriá quando Marina e eu seguimos pelo Paseo de la Bonanova rumo à estufa. Tínhamos tido a precaução de trazer uma lanterna e uma caixa de fósforos.

Virámos na Calle Iradier e avançámos pelos carreiros solitários que ladeavam a via-férrea. O eco dos comboios a subir para Vallvidrera filtrava-se por entre o arvoredo. Não tardámos a encontrar o beco onde perdêramos de vista a dama e o gradeamento que ocultava a estufa ao fundo.

Um manto de folhas secas cobria o empedrado. Sombras gelatinosas estendiam-se à nossa volta à medida que penetrávamos no mato. A erva assobiava ao vento e o rosto da Lua sorria por entre frestas no céu. Ao cair da noite, a hera que cobria a estufa fez-me pensar numa cabeleira de serpentes. Demos a volta à estrutura do edifício e encontrámos a porta traseira. A chama de um fósforo revelou o símbolo de Kolvenick e da Velo-Granell encoberto pelo musgo. Engoli em seco e olhei para Marina. O seu rosto emanava um brilho cadavérico.

– Foi ideia tua voltar aqui… – disse.

Acendi a lanterna e a sua luz avermelhada inundou o umbral da estufa. Dei uma vista de olhos antes de entrar. À luz do dia, aquele lugar parecera-me sinistro. Agora, de noite, assemelhava-se a um cenário de pesadelo. O feixe da lanterna descobria relevos sinuosos por entre os escombros. Avançava seguido de Marina, fazendo incidir a luz da lanterna em frente. O solo, húmido, rangia à nossa passagem. O arrepiante sussurrar das figuras de madeira ao roçarem umas nas outras chegou aos nossos ouvidos. Auscultei o sudário de sombras no coração da estufa. Por um instante não fui capaz de recordar se aquela tramóia com figuras suspensas ficara levantada ou caída quando tínhamos saído dali. Olhei para Marina e vi que ela estava a pensar o mesmo.

– Alguém esteve aqui depois da última vez… – disse, apontando as figuras suspensas do tecto a meia altura.

Um mar de pés balançava. Senti uma onda de frio na base da nuca e compreendi que alguém voltara a baixar as figuras. Sem perder mais tempo, dirigi-me para a secretária e entreguei a lanterna a Marina.

– De que estamos à procura? – murmurou ela.

Apontei o álbum de velhas fotografias em cima da mesa. Peguei-lhe e meti-o no saco que levava às costas.

– Esse álbum não é nosso, Óscar, não sei se...

Ignorei os seus protestos e ajoelhei-me para inspeccionar as gavetas da secretária. A primeira continha todo o tipo de ferramentas enferrujadas, navalhas, puas e serras de fio já gasto. A segunda estava vazia. Pequenas aranhas negras corriam de um lado para outro no fundo, procurando refúgio nos interstícios da madeira. Fechei-a e tentei a sorte com a terceira gaveta. A fechadura estava trancada.

– O que se passa? – ouvi Marina sussurrar, com a voz carregada de inquietação.

Peguei numa das navalhas da primeira gaveta e tentei forçar a fechadura. Marina, nas minhas costas, segurava na lanterna ao alto, observando as sombras dançantes que deslizavam pelas paredes da estufa.

– Falta muito?

– Tem calma. É um minuto.

Podia sentir a borda da fechadura com a navalha. Rodeando-a, perfurei o contorno. A madeira seca, apodrecida, cedia com facilidade à minha pressão. Ao lascar, estalava ruidosamente. Marina agachou-se a meu lado e pousou a lanterna no chão.

– O que é esse barulho? – perguntou de repente.

– Não é nada. É a madeira da gaveta a ceder...

Ela pousou a mão sobre as minhas, detendo-me o movimento. Durante um instante o silêncio envolveu-nos. Senti o pulso acelerado de Marina na minha mão. Então também eu notei aquele som. O estalar da madeira lá em cima. Algo se movia por entre as figuras suspensas na escuridão. Forcei os olhos, mesmo a tempo de detectar o contorno do que me pareceu um braço a mover-se sinuosamente. Uma das figuras estava a desprender-se, deslizando como uma áspide por entre os ramos. Outras silhuetas começaram a mover-se ao mesmo tempo. Agarrei a navalha com força e pus-me em pé, a tremer. Naquele instante, alguém ou algo tirou a lanterna dos nossos pés. Rolou até um canto e ficámos mergulhados em escuridão absoluta. Foi então que ouvimos aquele assobio a aproximar-se.

Agarrei na mão da minha companheira e desatámos a correr para a saída. À nossa passagem, o conjunto de figuras descia lentamente, braços e pernas roçando-nos as cabeças, tentando agarrar-se às nossas roupas. Senti unhas de metal na nuca. Ouvi Marina gritar ao meu lado e empurrei-a para a minha frente, impelindo-a através daquele túnel infernal de criaturas que desciam das trevas. Os feixes de lua que se filtravam pelas fendas na hera revelavam visões de rostos talhados, olhos de vidro e dentaduras esmaltadas.

Movi a navalha para um lado e para outro com força. Senti-a rasgar um corpo duro. Um fluido espesso ensopou-me os dedos. Retirei a mão; algo puxava por Marina para a sombra. Marina uivou de terror e pude ver o rosto sem olhar, de órbitas vazias e negras, da bailarina de madeira a rodear-lhe a garganta com dedos afiados como facas. Tinha o rosto coberto por uma máscara de pele morta. Lancei-me com todas as minhas forças contra ela e atirei-a ao chão. Agarrado a Marina, corremos para a porta, enquanto a figura decapitada da bailarina se erguia de novo, uma marioneta de fios invisíveis esgrimindo garras que fazia soar como se fossem tesouras.

Ao sair para o ar livre notei que várias silhuetas escuras nos bloqueavam a passagem para a saída. Corremos na direcção contrária para um alpendre junto do muro que separava a propriedade das vias-férreas. As portas de vidro do alpendre estavam empenadas por décadas de sujidade. Fechadas. Parti o vidro com o cotovelo e palpei a fechadura interior. Uma maçaneta cedeu e a porta abriu-se para dentro. Entrámos apressadamente. As janelas posteriores desenhavam duas manchas de uma claridade leitosa. Do outro lado, podia adivinhar-se a teia de aranha da rede eléctrica do comboio. Marina voltou-se por momentos para olhar para trás. Recortavam-se formas angulosas na porta do alpendre.

– Depressa! – gritou.

Olhei desesperado à minha volta, procurando qualquer coisa com que partir a janela. O cadáver enferrujado de um velho automóvel apodrecia na obscuridade. A manivela do motor estava à frente, no chão. Agarrei-a e bati repetidamente na janela, protegendo-me da chuva de vidros. A brisa nocturna fustigou-me a cara e senti o bafo viciado que exalava a boca do túnel.

– Por aqui!

Marina elevou-se até ao buraco da janela, ao mesmo tempo que eu contemplava as silhuetas rastejando lentamente para o interior da garagem. Brandi a manivela metálica com as duas mãos. De súbito, as figuras detiveram-se e deram um passo atrás. Olhei sem compreender e então ouvi aquele sopro mecânico sobre mim. Saltei instintivamente para a janela, ao mesmo tempo que um corpo se desprendia do tecto. Reconheci a figura do polícia sem braços. O rosto pareceu-me coberto por uma máscara de pele morta, grosseiramente cosida. As costuras sangravam.

– Óscar! – gritou Marina do outro lado da janela.

Lancei-me por entre as frestas de vidro estilhaçado. Apercebi-me de que uma língua me cortava através do tecido das calças. Senti-a com nitidez rasgar a pele. Aterrei do outro lado e a dor atacou-me de repente. Notei o escorrer tépido do sangue por debaixo da roupa. Marina ajudou-me a pôr em pé e passámos para o outro lado atalhando pelos trilhos do comboio. Naquele momento senti uma pressão agarrar-me o tornozelo e caí de bruços sobre os carris. Voltei-me, aturdido. A mão de uma monstruosa marioneta fechava-se sobre o meu pé. Apoiei-me num carril e senti a vibração sobre o metal. A luz distante de um comboio reflectia-se nos muros. Ouvi o chiar das rodas e senti tremer o solo sob o meu corpo.

Marina gemeu ao verificar que se aproximava um comboio a toda a velocidade. Ajoelhou-se a meus pés e forçou os dedos de madeira que me prendiam. As luzes do comboio iluminaram-na. Ouvi o apito a uivar. O boneco jazia inerte; segurava a sua presa, inquebrantável. Marina lutava com as duas mãos para me libertar. Um dos dedos cedeu. Marina suspirou. Meio segundo mais tarde, o corpo daquele ser levantou-se e agarrou com a outra mão o braço de Marina. Com a manivela que ainda segurava, bati com toda a minha força no rosto daquela figura inerte até quebrar a estrutura do crânio. Verifiquei com horror que o que tomara por madeira era osso. Havia vida naquela criatura.

O rugido do comboio tornou-se ensurdecedor, abafando os nossos gritos. As pedras entre os carris estremeciam. O feixe de luz da locomotiva envolveu-nos com o seu halo. Fechei os olhos e continuei a bater com toda a alma naquela sinistra marioneta até sentir que a cabeça se soltava do corpo. Só então as suas garras nos libertaram. Rolámos sobre as pedras, cegos pela luz. Toneladas de aço passaram a escassos centímetros dos nossos corpos, lançando uma chuva de faíscas. Os fragmentos despedaçados daquela aberração foram projectados, fumegando como as brasas que saltam de uma fogueira.

Depois do comboio passar, abrimos os olhos. Voltei-me para Marina e abanei a cabeça, dando-lhe a entender que estava bem. Pusemo-nos devagar em pé. Então senti a facada de dor na perna. Marina colocou o meu braço sobre os seus ombros e assim consegui chegar ao outro lado das linhas. Chegados ali, voltámo-nos para olhar para trás. Algo se movia entre os carris, brilhando sob a luz da Lua. Era uma mão de madeira, cortada pelas rodas do comboio. A mão agitava-se em espasmos cada vez mais espaçados, até que parou por completo. Sem trocar palavra, subimos por entre os arbustos até um beco que ia dar à Calle Anglí. Os sinos da igreja soavam ao longe.

Felizmente, Germán dormitava no seu estúdio quando chegámos. Marina guiou-me em silêncio para uma das casas de banho a fim de me limpar a ferida da perna à luz das velas. As paredes e o chão estavam cobertos de azulejos esmaltados que reflectiam a chama. Uma monumental banheira apoiada em quatro patas de ferro erguia-se no centro.

– Tira as calças – disse Marina, de costas para mim, procurando no estojo de primeiros socorros.

– O quê?

– Ouviste bem.

Fiz o que me ordenava e estendi a perna em cima da borda da banheira. O corte era mais profundo do que pensara e o contorno adquirira um tom purpúreo. Senti náuseas. Marina ajoelhou-se junto de mim e examinou-o com cuidado.

– Dói-te?

– Só quando olho para ele.

A minha improvisada enfermeira pegou num algodão embebido em álcool e aproximou-o do corte.

– Isto vai arder...

Quando o álcool mordeu a ferida, agarrei na borda da banheira com tal força que devo ter deixado as minhas impressões digitais gravadas nela.

– Lamento – murmurou Marina, soprando sobre o corte.

– Mais lamento eu.

Respirei fundo e fechei os olhos, enquanto ela continuava a limpar a ferida meticulosamente. Por fim, tirou um penso do estojo e aplicou-o sobre o corte. Prendeu com mão firme o adesivo, sem afastar os olhos do que estava a fazer.

– Não iam à nossa procura – disse Marina.

Não tive bem a certeza a que se referia.

– Essas figuras na estufa – acrescentou, sem olhar para mim. – Procuravam o álbum de fotografias. Não o devíamos ter trazido...

Senti a sua respiração sobre a minha pele enquanto aplicava uma gaze limpa.

– Sobre aquilo do outro dia, na praia... – comecei.

Marina parou e ergueu os olhos.

– Nada.

Marina aplicou a última tira de adesivo e observou-me em silêncio. Julguei que me ia dizer qualquer coisa, mas levantou-se apenas e saiu da casa de banho.

Fiquei só com as velas e umas calças inúteis.

Capítulo 13

Quando cheguei ao internato passava da meia-noite e todos os meus companheiros estavam deitados, embora pelas fechaduras dos seus quartos se filtrassem agulhas de luz que iluminavam o corredor. Deslizei nas pontas dos pés até ao meu quarto. Fechei a porta com extremo cuidado e olhei para o despertador da mesa-de-cabeceira. Quase uma da madrugada. Acendi o candeeiro e tirei do meu saco o álbum de fotografias que tínhamos trazido da estufa.

Abri-o e mergulhei de novo na galeria de personagens que o povoavam. Uma imagem mostrava uma mão cujos dedos estavam ligados por membranas, como os de um anfíbio. Junto dela, uma menina de caracóis louros vestida de branco oferecia um sorriso quase demoníaco, com os dentes caninos aparecendo entre os lábios. Página após página, desfilaram perante mim cruéis caprichos da natureza. Dois irmãos albinos, cuja pele parecia prestes a incendiar-se com a simples claridade de uma vela. Siameses unidos pelo crânio, os rostos frente a frente para toda a vida. O corpo despido de uma mulher cuja coluna vertebral se retorcia como um ramo seco... Muitos deles eram crianças ou jovens. Muitos pareciam mais novos do que eu. Quase não havia adultos nem anciãos. Compreendi que a esperança de vida para aqueles infelizes era mínima.

Recordei as palavras de Marina, que aquele álbum não era nosso e que nunca devíamos ter-nos apropriado dele. Agora, quando a adrenalina já se evaporara do meu sangue, essa ideia adquiriu um novo significado. Ao examiná-lo, profanava uma colecção de recordações que não me pertenciam. Compreendia que aquelas imagens de tristeza e infortúnio eram, à sua maneira, um álbum de família. Passei repetidamente as páginas, julgando detectar entre elas um vínculo que ia para além do espaço e do tempo. Por fim fechei-o e guardei-o de novo no saco. Apaguei a luz e a imagem de Marina andando na sua praia deserta veio-me à mente. Vi-a afastar-se na beira-mar até que o sono calou a voz da maré.

Por um dia, a chuva cansou-se de Barcelona e partiu rumo ao norte. Como um foragido, faltei à última aula daquela tarde para me encontrar com Marina. As nuvens tinham-se aberto num pano de fundo azul. Uma língua de sol salpicava as ruas. Ela esperava-me no jardim, concentrada no seu caderno secreto. Logo que me viu apressou-se a fechá-lo. Perguntei a mim mesmo se estaria a escrever sobre mim, ou sobre o que nos acontecera na estufa.

– Como está a tua perna? – perguntou, segurando o caderno com os dois braços.

– Sobreviverei. Anda cá, tenho uma coisa que te quero mostrar.

Tirei o álbum e sentei-me junto dela na fonte. Abri-o e passei várias folhas. Marina suspirou em silêncio, perturbada por aquelas imagens.

– Aqui está – disse, parando numa fotografia, no fim do álbum. – Esta manhã, ao levantar-me, veio-me à cabeça. Até agora não tinha percebido, mas hoje...

Marina observou a fotografia que lhe mostrava. Era uma imagem a preto e branco, enfeitiçada com a rara nitidez que só os velhos retratos de estúdio possuem. Nela podia observar-se um homem cujo crânio estava brutalmente deformado e cuja espinha dorsal mal o mantinha em pé. Apoiava-se num homem jovem com uma bata branca, óculos redondos e uma gravata-borboleta que combinava com o seu bigode cuidadosamente recortado. Um médico. Ele olhava para a máquina fotográfica. O paciente tapava os olhos com a mão, como se se envergonhasse da sua condição. Atrás deles distinguia-se o painel de um vestiário e o que parecia um gabinete de consulta médica. Num canto notava-se uma porta entreaberta. Dali, olhando com timidez a cena, uma menina de muito tenra idade segurava uma boneca. A fotografia parecia mais um documento médico de arquivo do que outra coisa.

– Repara bem – insisti.

– Não vejo senão um pobre homem...

– Não o olhes a ele. Olha atrás dele.

– Uma janela...

– O que vês através dessa janela?

Marina franziu as sobrancelhas.

– Reconheces? – perguntei, apontando a figura de um dragão que decorava a fachada do edifício do outro lado do quarto de onde fora tirada a fotografia.

– Já o vi em qualquer lugar...

– O mesmo pensei eu – corroborei. – Aqui em Barcelona. Nas Ramblas, em frente do Teatro del Liceo. Revi todas as fotografias do álbum e esta é a única que foi tirada em Barcelona. – Tirei a fotografia do álbum e estendi-a a Marina. No verso, em letras quase apagadas, lia-se:

Estúdio Fotográfico Martorell-Borrás – 1951
Cópia – Doutor Joan Shelley
Rambla de los Estudiantes, 46-48, 1.º Barcelona

Marina devolveu-me a fotografia, encolhendo os ombros.

– Essa fotografia foi tirada há quase trinta anos, Óscar... Não significa nada...

– Esta manhã estive e ver na lista telefónica. O tal doutor Shelley ainda aparece como ocupante do 46-48 da Rambla de los Estudiantes, 1.º andar. Sabia que conhecia. Lembrei-me depois que Sentís mencionou que o doutor Shelley fora o primeiro amigo de Mikhail Kolvenick ao chegar a Barcelona...

Marina observou-me com atenção.

– E tu, para comemorar, fizeste mais alguma coisa do que olhar apenas para a lista...

– Telefonei – admiti. – Respondeu-me a filha do doutor Shelley, María. Disse-lhe que era da máxima importância que falássemos com o pai.

– E ela interessou-se?

– A princípio não, mas quando mencionei o nome de Mikhail Kolvenick a sua voz mudou. O pai acedeu a receber-nos.

– Quando?

Consultei o relógio.

– Dentro de quarenta minutos.

Apanhámos o metro até à Plaza Cataluña. Começava a cair a tarde quando subimos pelas escadas que iam dar à entrada das Ramblas. Aproximava-se o Natal e a cidade estava enfeitada com grinaldas de luz. As lâmpadas desenhavam espectros multicores sobre as ruas. Bandos de pombas esvoaçavam entre quiosques de flores e cafés, músicos ambulantes e cortesãs, turistas e habitantes locais, polícias e malandros, cidadãos e fantasmas de outras épocas. Germán tinha razão: não havia uma rua assim em todo o mundo.

A silhueta do Gran Teatro del Liceo ergueu-se à nossa frente. Era noite de ópera e o diadema de luzes dos toldos da entrada estava aceso. Do outro lado da rua reconhecemos o dragão verde da fotografia na esquina de uma fachada, contemplando a multidão. Ao vê-lo, pensei que a história reservara os altares e as estampas para S. Jorge, mas ao dragão coubera eternamente a cidade de Barcelona.

O antigo consultório do doutor Joan Shelley ocupava o primeiro andar de um velho edifício de ar senhorial e iluminação fúnebre. Atravessámos um vestíbulo cavernoso de onde subia em espiral uma sumptuosa escadaria. Os nossos passos perderam-se no eco da escada. Observei que as aldrabas das portas eram forjadas em forma de rostos de anjos. Vitrais de catedral rodeavam a clarabóia, transformando o edifício no maior caleidoscópio do mundo. O primeiro andar, como costumava acontecer nos edifícios da época, não era o primeiro mas sim o terceiro. Passámos pela sobreloja e pelo andar principal até chegar à porta onde uma velha placa de bronze anunciava: *Dr. Joan Shelley*. Olhei o meu relógio. Faltavam dois minutos para a hora combinada quando Marina bateu à porta.

A mulher que nos abriu a porta saíra sem dúvida de uma estampa religiosa. Evanescente, virginal e tocada por um ar místico. A pele era nívea, quase transparente, e os olhos tão claros que mal tinham cor. Um anjo sem asas.

– Senhora Shelley? – perguntei com cortesia.

Ela admitiu a identidade, o olhar brilhante de curiosidade.

– Boas tardes – comecei. – O meu nome é Óscar. Falei consigo esta manhã...

– Eu lembro-me. Entrem, entrem...

Convidou-nos a entrar. María Shelley deslocava-se como uma bailarina saltando entre nuvens, em câmara lenta. Era de constituição frágil e desprendia-se dela um aroma a água-de-rosas. Calculei que devia ter trinta e poucos anos, mas parecia mais jovem. Tinha um dos pulsos ligado e um lenço rodeava-lhe a garganta de cisne. O vestíbulo era um aposento escuro, de veludo e espelhos fumados. A casa cheirava a museu, como se o ar que nela pairava estivesse ali preso há décadas.

– Agradecemos-lhe muito que nos receba. Esta é a minha amiga Marina.

María pousou o olhar em Marina. Sempre me pareceu fascinante ver como as mulheres se examinam umas às outras. Aquele momento não foi excepção.

– Muito prazer – disse por fim María Shelley, arrastando as palavras. – O meu pai é um homem de idade avançada. De temperamento um tanto instável. Peço-lhes que não o fatiguem.

– Não se preocupe – disse Marina.

Indicou-nos que a seguíssemos para o interior. Definitivamente, María Shelley movia-se com uma elasticidade vaporosa.

– Diz que tem algo que pertencia ao falecido senhor Kolvenick? – perguntou María.

– Conheceu-o? – perguntei, por meu lado.

O seu rosto iluminou-se com as recordações de outros tempos.

– Na realidade, não... No entanto, ouvi falar muito dele. Desde pequena – disse, quase para si mesma.

As paredes, revestidas de veludo negro, estavam cobertas com imagens de santos, virgens e mártires em agonia. As alcatifas eram escuras e absorviam a pouca luz que se filtrava por entre as frestas de janelas fechadas. Enquanto seguíamos a nossa anfitriã por aquela galeria, interroguei-me há quanto tempo viveria ali, só com o pai. Teria casado, teria vivido, amado ou sentido qualquer coisa fora do mundo opressivo daquelas paredes?

María Shelley parou diante de uma porta de correr e bateu com os nós dos dedos.

– Pai?

O doutor Joan Shelley, ou o que dele restava, encontrava-se sentado num cadeirão em frente do lume, sob camadas de mantas. A filha deixou-nos a sós com ele. Procurei desviar os olhos da sua cintura de vespa quando se retirou. O idoso médico, em quem dificilmente se reconhecia o homem do retrato que eu tinha no bolso, examinava-nos em silêncio. Os seus olhos reflectiam receio. Uma das mãos tremia ligeiramente sobre o apoio da cadeira. O corpo cheirava a doença sob uma máscara de água-de-colónia. O seu sorriso sarcástico não escondia o desagrado que lhe inspiravam o mundo e o seu próprio estado.

– O tempo faz ao corpo o que a estupidez faz à alma – disse, apontando para si. – Apodrece-o. O que querem?

– Gostávamos de saber se nos poderia falar de Mikhail Kolvenick.

– Poderia, mas não vejo porquê – cortou o médico. – Já se falou demasiado naquela época e foram tudo mentiras. Se as pessoas pensassem uma quarta parte daquilo que dizem, este mundo seria o Paraíso.

– Pois, mas nós estamos interessados na verdade – fiz notar.

O ancião esboçou uma expressão trocista.

– A verdade não se encontra, meu filho. Ela encontra-nos a nós.

Procurei sorrir dócil, mas começava a suspeitar de que aquele homem não tinha interesse em dar com a língua nos dentes. Marina, intuindo o meu receio, tomou a iniciativa.

– Doutor Shelley – disse com doçura –, por acidente chegou às nossas mãos uma colecção de fotografias que poderia ter pertencido ao senhor Mikhail Kolvenick. Numa delas vê-se o senhor e um dos seus pacientes. Foi por isso que nos atrevemos a incomodá-lo, com a esperança de devolver a colecção ao seu legítimo dono ou a quem interessar.

Desta vez não houve frase lapidar como resposta. O médico observou Marina, sem ocultar uma certa surpresa. Perguntei a mim mesmo por que não me ocorrera um ardil semelhante. Decidi que, quanto mais deixasse Marina encarregar-se da despesa da conversa, melhor.

– Não sei de que fotografias fala, menina...

– Trata-se de um arquivo que mostra pacientes afectados por malformações... – informou Marina.

Um relâmpago fulgurou nos olhos do médico. Tínhamos tocado num nervo. Havia vida por debaixo das mantas, afinal.

– O que a faz pensar que a referida colecção pertencia a Mikhail Kolvenick? – perguntou, fingindo indiferença. – Ou que eu tenha qualquer coisa a ver com ela?

– A sua filha disse-nos que vocês os dois eram amigos – disse Marina, desviando o assunto.

– A María tem a virtude da ingenuidade – cortou Shelley, hostil.

Marina assentiu, pôs-se em pé e deu-me indicação que fizesse o mesmo.

– Compreendo – disse, delicada. – Vejo que estávamos enganados. Lamentamos tê-lo incomodado, doutor. Vamos, Óscar. Havemos de encontrar a quem entregar a colecção...

– Um momento – cortou Shelley.

Depois de pigarrear, fez sinal para que nos sentássemos outra vez.

– Ainda têm essa colecção?

Marina assentiu, sustentando o olhar do ancião. De repente, Shelley soltou o que supus ser uma gargalhada. Soou como folhas de jornal velhas ao serem amachucadas.

– Como sei que dizem a verdade?

Marina lançou-me uma ordem muda. Tirei a fotografia do bolso e estendi-a ao doutor Shelley. Pegou-lhe com a mão trémula e examinou-a. Estudou a fotografia durante longo tempo. Por fim, desviando o olhar para o fogo, começou a falar.

Segundo nos contou, o doutor Shelley era filho de pai britânico e mãe catalã. Especializara-se como traumatologista num hospital de Bournemouth. Ao estabelecer-se em Barcelona, a sua condição de estrangeiro fechou-lhe as portas dos círculos sociais onde se desenvolviam as carreiras prometedoras. O que conseguiu obter foi um lugar na unidade médica da cadeia. Atendeu Mikhail Kolvenick quando ele foi alvo de um brutal espancamento nos calabouços. Nessa altura, Kolvenick não falava castelhano nem catalão. Teve a sorte de Shelley falar um pouco de alemão. Shelley emprestou-lhe dinheiro para comprar roupa, alojou-o em sua casa e ajudou-o a arranjar um emprego na Velo-Granell. Kolvenick afeiçoou-se-lhe desmedidamente e nunca esqueceu a sua bondade. Nasceu entre ambos uma profunda amizade.

Mais adiante, aquela amizade havia de frutificar numa relação profissional. Muitos dos pacientes do doutor Shelley precisavam de peças de ortopedia e próteses especiais. A Velo-Granell era líder na referida produção e, entre os seus desenhadores, nenhum revelava mais talento do que Mikhail Kolvenick. Com o tempo, Shelley transformou-se no médico pessoal de Kolvenick. Uma vez a fortuna sorriu-lhe e Kolvenick quis ajudar o amigo financiando a criação de um centro médico especializado no estudo e tratamento de doenças degenerativas e malformações congénitas.

O interesse de Kolvenick no assunto remontava à sua infância em Praga. Shelley explicou-nos que a mãe de Mikhail Kolvenick dera à luz gémeos. Um deles, Mikhail, nasceu forte e são. O outro, Andrei, veio ao mundo com uma incurável malformação óssea e muscular que haveria de acabar com a sua vida apenas sete anos mais tarde. Este episódio marcou a memória do jovem Mikhail e, de certo modo, a sua vocação. Kolvenick sempre pensou que, com a adequada atenção médica e com o desenvolvimento de uma tecnologia que suprisse o que a natureza lhe negara, o irmão teria podido atingir a idade adulta e viver uma vida perfeita. Foi essa convicção que o levou a dedicar o seu talento ao desenho de mecanismos que, como ele gostava de dizer, «completassem» os corpos que a providência deixara de lado.

«A natureza é como uma criança que brinca com as nossas vidas. Quando se cansa dos brinquedos partidos, abandona-os e substitui-os por outros», dizia Kolvenick. «É responsabilidade nossa apanhar os bocados e reconstruí-los.»

Alguns viam nestas palavras uma arrogância que raiava a blasfémia; outros viam apenas esperança. A sombra do irmão nunca abandonara Mikhail Kolvenick. Estava convencido que um acaso caprichoso e cruel decidira que fosse ele a viver e o irmão a nascer com a morte escrita no corpo. Shelley explicou-nos que Kolvenick se sentia culpado por isso e que tinha no mais fundo do seu coração uma dívida para com Andrei e para com todos aqueles que, como o irmão, estavam marcados pelo estigma da imperfeição. Foi durante essa época que Kolvenick começou a coleccionar fotografias de fenómenos e deformações de todo o mundo. Para ele, aqueles seres abandonados pelo destino eram os irmãos invisíveis de Andrei. A sua família.

– Mikhail Kolvenick era um homem brilhante – continuou o doutor Shelley. – Tais indivíduos inspiram sempre a desconfiança dos que se sentem inferiores. A inveja é um cego que nos quer arrancar os olhos. Tudo o que foi dito de Mikhail nos últimos anos e depois da sua morte foram calúnias... Aquele maldito inspector... Florián. Não compreendia que era utilizado como fantoche para derrubar Mikhail...

– Florián? – interveio Marina.

– Florián era o inspector-chefe da brigada judicial – disse Shelley, revelando todo o desprezo que lhe permitiam as suas cordas vocais. – Um arrivista, um animal imundo que pretendia criar nome à custa da Velo-Granell e de Mikhail Kolvenick. Só me consola pensar que nunca pôde provar nada. A sua obstinação acabou-lhe com a carreira. Foi ele quem tirou da manga todo aquele escândalo dos corpos...

– Corpos?

Shelley mergulhou num longo silêncio. Olhou-nos a ambos e o sorriso cínico aflorou de novo.

– Esse tal inspector Florián... – perguntou Marina. – Sabe onde o poderíamos encontrar?

– Num circo, com o resto dos palhaços – replicou Shelley.

– Conheceu Benjamín Sentís, doutor? – perguntei, tentando reencaminhar a conversa.

– Claro – respondeu Shelley. – Lidava regularmente com ele. Como sócio de Kolvenick, Sentís encarregava-se da parte administrativa da Velo-Granell. Um homem avarento que não sabia qual era o seu lugar no mundo, na minha opinião. Podre de inveja.

– Sabe que o corpo do senhor Sentís foi encontrado há uma semana nos esgotos? – quis eu saber.

– Leio os jornais – respondeu com frieza.

– Não lhe pareceu estranho?

– Não mais do que as outras coisas que se lêem na imprensa – replicou Shelley. – O mundo está doente. E eu começo a estar cansado. Mais alguma coisa?

Estava para lhe perguntar sobre a dama de negro quando Marina se adiantou, fazendo-me calar com um sorriso. Shelley agarrou numa aldraba e puxou. María Shelley deu-se a conhecer, com os olhos no chão.

– Estes jovens já se vão embora, María.

– Sim, pai.

Pusemo-nos em pé. Fiz menção de recuperar a fotografia, mas a mão trémula do médico adiantou-se.

– Eu fico com esta fotografia, se não se importam...

Dito isto, voltou-nos as costas e, com um gesto, indicou à filha que nos acompanhasse até à porta. No momento de sair da biblioteca, voltei-me para dar uma última vista de olhos ao médico e pude ver que atirava a fotografia para o fogo. Os seus olhos vidrados ficaram a vê-la arder no meio das chamas.

María Shelley guiou-nos em silêncio até ao vestíbulo e, uma vez ali, sorriu-nos em jeito de desculpa.

– O meu pai é um homem difícil mas de bom coração... – justificou. – A vida deu-lhe muitos dissabores e às vezes o seu génio atraiçoa-o...

Abriu-nos a porta e acendeu a luz da escada. Li uma dúvida no seu olhar, como se quisesse dizer-nos qualquer coisa mas receasse fazê-lo. Marina também notou e estendeu-lhe a mão em sinal de agradecimento. María Shelley apertou-lha. A solidão ressumava pelos poros daquela mulher como um suor frio.

– Não sei o que o meu pai lhes terá contado... – disse, baixando a voz e olhando para trás, receosa.

– María? – chegou a voz do médico do interior da casa. – Com quem estás a falar?

Uma sombra cobriu o rosto de María.

– Já vou, pai, já vou...

Lançou-nos um último olhar desolado e meteu-se para dentro. Ao voltar-se, notei que uma pequena medalha lhe pendia do pescoço. Era capaz de jurar que era a figura de uma borboleta com as asas negras abertas. A porta fechou-se sem me dar tempo de me certificar. Ficámos no patamar, ouvindo no interior a voz atroadora do médico descarregando a fúria sobre a filha. A luz da escada apagou-se. Por um instante pareceu-me sentir o cheiro de carne em decomposição. Provinha de qualquer ponto da escada, como se houvesse um animal morto na escuridão. Pareceu-me então ouvir passos que se afastavam para cima e o cheiro, ou a impressão, desapareceu.

– Vamo-nos embora daqui – disse.

Capítulo 14

No caminho de volta a casa de Marina, notei que ela me observava de soslaio.

– Não vais passar o Natal com a tua família?

Neguei, com o olhar perdido no trânsito.

– Por que não?

– Os meus pais viajam constantemente. Há já alguns anos que não passamos o Natal juntos.

A minha voz soou cortante e hostil, sem que eu o pretendesse. Fizemos o resto do caminho em silêncio. Acompanhei Marina até ao gradeamento do casarão e despedi-me dela.

Caminhava de volta para o internato quando começou a chover. Contemplei ao longe a fila de janelas no quarto andar do colégio. Só havia luz em duas delas. A maioria dos internos partira para as férias de Natal e só voltaria daí a três semanas. Todos os anos acontecia a mesma coisa. O internato ficava deserto e unicamente alguns infelizes permaneciam ali, ao cuidado dos tutores. Os dois anos anteriores tinham sido os piores, mas naquele já não me importava. De facto, até preferia. A ideia de me afastar de Marina e Germán era insuportável. Enquanto estivesse perto deles não me sentiria só.

Subi uma vez mais as escadas para o meu quarto. O corredor estava silencioso, abandonado. Aquela ala do internato estava deserta. Supus que só haveria a dona Paula, uma viúva que se encarregava da limpeza e que vivia só, num pequeno apartamento do terceiro andar. Adivinhava-se o murmúrio permanente da sua televisão no andar de baixo. Percorri a fila de quartos vazios até chegar ao meu. Abri a porta. Um trovão rugiu no céu da cidade e ressoou por todo o edifício. A luz do relâmpago filtrou-se por entre as persianas fechadas da janela. Estendi-me na cama sem me despir. Ouvi a tempestade desencadear-se no escuro. Abri a gaveta da minha mesa-de-cabeceira e tirei o esboço a lápis que Germán fizera de Marina naquele dia na praia. Contemplei-o na penumbra até que o sono e a fadiga foram mais fortes. Adormeci segurando-o como se se tratasse de um amuleto. Quando acordei, o retrato desaparecera-me das mãos.

Abri os olhos de repente. Senti frio e o sopro do vento na cara. A janela estava aberta e a chuva invadia-me o quarto. Atordoado, levantei-me. Tacteei o candeeiro na penumbra. Carreguei no interruptor em vão. Não havia luz. Foi então que me apercebi que o retrato com que adormecera não estava nas minhas mãos, nem sobre a cama ou no chão. Esfreguei os olhos, sem compreender. De repente, notei-o. Intenso e penetrante. Aquele cheiro a podridão. No ar. No quarto. Na minha própria roupa, como se alguém tivesse esfregado o cadáver de um animal em decomposição na minha pele enquanto dormia. Controlei um vómito e, um instante depois, fui dominado por um pânico profundo. Não estava só. Alguém ou algo entrara por aquela janela enquanto dormia.

Devagar, tacteando os móveis, aproximei-me da porta. Tentei acender a luz central do quarto. Nada. Espreitei para o corredor, que se perdia nas trevas. Senti de novo o cheiro, mais intenso. O rasto de um animal selvagem. Subitamente, pareceu-me entrever um vulto a entrar no último quarto.

– Dona Paula? – chamei, quase sussurrando.

A porta fechou-se com suavidade. Inspirei com força e avancei pelo corredor, desconcertado. Detive-me ao ouvir um ciciar de réptil a sussurrar uma palavra. O meu nome. A voz provinha do interior do quarto fechado.

– Dona Paula, é a senhora? – gaguejei, tentando controlar o tremor que se apossava das minhas mãos.

Dei um passo na escuridão. A voz repetiu o meu nome. Era uma voz como nunca ouvira. Uma voz rouca, cruel e sangrante de maldade. Uma voz de pesadelo. Estava apavorado naquele corredor de sombras, incapaz de mover um músculo. De repente, a porta do quarto abriu-se com uma força brutal. No espaço de um interminável segundo, pareceu-me que o corredor se estreitava e encolhia sob os meus pés, atraindo-me para aquela porta.

No centro do dormitório, os meus olhos distinguiram com absoluta clareza um objecto que brilhava em cima da cama. Era o retrato de Marina, com o qual adormecera. Duas mãos de madeira, mãos de marioneta, seguravam-no. Uns cabos ensanguentados apareciam nas extremidades. Soube então, com absoluta certeza, que aquelas eram as mãos que Benjamín Sentís perdera nas profundezas do esgoto. Arrancadas pela raiz. Senti que o ar me fugia dos pulmões.

O cheiro tornou-se insuportável, ácido. E com a lucidez do terror, descobri o vulto na parede, pendendo imóvel, um ser vestido de negro e com os braços em cruz. Cabelos emaranhados tapavam-lhe a cara. No limiar da porta, contemplei como esse rosto se erguia com infinita lentidão e exibia um sorriso de brilhantes dentes caninos na penumbra. Dentro das luvas, umas garras começaram a mover-se como molhos de serpentes. Dei um passo atrás e ouvi de novo aquela voz murmurando o meu nome. O vulto reptava para mim como uma gigantesca aranha.

Deixei escapar um uivo e fechei a porta de repente. Procurei bloquear a saída do quarto, mas senti um impacte brutal. Dez unhas como facas surgiram através da madeira. Desatei a correr para o outro extremo do corredor e ouvi como a porta era feita em estilhaços. O corredor transformara-se num túnel interminável. Vislumbrei a escada a uns metros e voltei-me para olhar para trás. O vulto daquela criatura infernal deslizava direito a mim. O brilho projectado pelos seus olhos perfurava a escuridão. Estava apanhado.

Lancei-me para o corredor que ia dar às cozinhas, aproveitando o facto de saber de cor os recantos do meu colégio. Fechei a porta atrás de mim. Inútil. A criatura precipitou-se de encontro a ela e derrubou-a, atirando-me ao chão. Rolei sobre os azulejos e procurei refúgio debaixo da mesa. Vi umas pernas. Dezenas de pratos e copos quebraram-se em pedaços à minha volta, espalhando um manto de vidros partidos. Distingui a serrilha de uma faca entre os escombros e agarrei-a desesperadamente. A figura baixou-se à minha frente, como um lobo na entrada de uma toca. Projectei a faca na direcção daquele rosto e a faca penetrou nele como em lama. No entanto, afastou-se meio metro e pude escapar para o outro extremo da cozinha. Procurei qualquer coisa com que me defendesse enquanto retrocedia passo a passo. Encontrei uma gaveta. Abri-a. Talheres, utensílios de cozinha, velas, um isqueiro a gasolina…, sucata inútil. Instintivamente agarrei no isqueiro e procurei acendê-lo. Notei a sombra da criatura erguendo-se à minha frente. Senti o seu hálito fétido. Uma das garras aproximava-se da minha garganta. Foi então que a chama do isqueiro brilhou e iluminou aquela criatura apenas a vinte centímetros. Fechei os olhos e contive a respiração, convencido de que vira o rosto da morte e que só me restava esperar. A espera tornou-se eterna.

Quando abri de novo os olhos, retirara-se. Ouvi os seus passos a afastar-se. Segui-a pelo corredor e pareceu-me ouvir um gemido. Julguei ler dor ou raiva naquele som. Quando cheguei ao meu quarto, espreitei. A criatura remexia no meu saco. Agarrou no álbum de fotografias que trouxera da estufa. Voltou-se e observámo-nos um ao outro. A luz fantasmagórica da noite revelou o intruso durante um décimo de segundo. Quis dizer qualquer coisa, mas a criatura já se atirara pela janela.

Corri até ao peitoril e debrucei-me, esperando ver o corpo a precipitar-se no vazio. O vulto deslizava pelos canos da água a uma velocidade inverosímil. A sua capa negra ondulava ao vento. Dali saltou para os telhados da ala este. Esgueirou-se por entre um bosque de canos e torres. Paralisado, observei como aquela aparição infernal se afastava sob a tempestade com piruetas impossíveis, como uma pantera, como se os telhados de Barcelona fossem uma selva. Apercebi-me que o caixilho da janela tinha sangue entranhado. Segui o rasto até ao corredor e tardei em compreender que o sangue não era meu. Ferira um ser humano com a faca. Apoiei-me à parede. Os joelhos fraquejavam e sentei-me encolhido, exausto.

Não sei quanto tempo estive assim. Quando consegui pôr-me em pé, decidi fugir para o único lugar onde julguei que me ia sentir seguro.

Capítulo 15

Cheguei a casa de Marina e atravessei o jardim às apalpadelas. Dei a volta à casa e dirigi-me para a entrada da cozinha. Uma luz suave dançava por entre as persianas. Senti-me aliviado. Bati com os nós dos dedos e entrei. A porta estava aberta. Apesar do avançado da hora, Marina escrevia no seu caderno sobre a mesa da cozinha à luz das velas, com *Kafka* no colo. Ao ver-me, a caneta caiu-lhe dos dedos.

– Pelo amor de Deus, Óscar! O que...? – exclamou, examinando as minhas roupas rasgadas e sujas, tocando os arranhões no meu rosto. – O que te aconteceu?

Depois de algumas chávenas de chá quente consegui explicar a Marina o que acontecera ou aquilo de que me lembrava, porque começava a duvidar dos meus sentidos. Ouviu-me com a minha mão entre as suas, para me tranquilizar. Supus que ainda devia estar com pior aspecto do que tinha pensado.

– Não te importas que passe a noite aqui? Não sabia para onde ir. E não quero regressar ao internato.

– Nem eu vou permitir que o faças. Podes ficar connosco o tempo que quiseres.

– Obrigado.

Li nos seus olhos a mesma inquietação que me corroía. Depois do que acontecera naquela noite, a sua casa era tão segura como o internato ou qualquer outro lugar. Aquela presença que nos andara a seguir sabia onde encontrar-nos.

– O que vamos fazer agora, Óscar?

– Poderíamos procurar esse inspector que Shelley mencionou, Florián, e tentar averiguar o que está de facto a acontecer...

Marina suspirou.

– Ouve, talvez seja melhor eu ir embora... – sugeri.

– Nem penses nisso. Vou preparar-te um quarto lá em cima, junto do meu. Vem.

– O que... o que dirá Germán?

– Germán ficará contente. Dir-lhe-emos que vais passar o Natal connosco.

Segui-a pelas escadas. Nunca estivera no andar de cima. Um corredor ladeado por portas de roble lavrado revelou-se à luz do candeeiro. O meu quarto ficava no extremo do corredor, contíguo ao de Marina. A mobília parecia de antiquário, mas estava tudo limpo e arrumado.

– Os lençóis estão limpos – disse Marina, abrindo a cama. – No armário há mais cobertores, para o caso de teres frio. E aqui tens toalhas. Vou ver se te encontro um pijama de Germán.

– Vai ficar-me como uma tenda de campanha – trocei.

– Mais vale sobrar do que faltar. Volto já.

Ouvi os passos afastarem-se no corredor. Deixei a minha roupa em cima de uma cadeira e enfiei-me entre os lençóis limpos e engomados. Creio que nunca me sentira tão cansado em toda a minha vida. As pálpebras tinham-se transformado em placas de chumbo. Quando regressou, Marina trazia uma espécie de camisão de dois metros de comprimento que parecia ter sido roubado da colecção de roupa interior de uma infanta.

– De maneira nenhuma – objectei. – Não durmo com isso.

– Foi a única coisa que encontrei. Vai-te ficar muito bem. Além disso, Germán não me deixa ter rapazes nus a dormir cá em casa. Regras.

Atirou-me o camisão e deixou umas velas em cima da consola.

– Se precisares de qualquer coisa, dá uma pancada na parede. Eu estou do outro lado.

Olhámo-nos em silêncio um instante. Finalmente, Marina desviou o olhar.

– Boa noite, Óscar – sussurrou.

– Boa noite.

Acordei num quarto banhado de luz. O quarto estava virado para este e a janela mostrava um sol deslumbrante que se erguia sobre a cidade. Antes de me levantar já tinha reparado que a minha roupa desaparecera da cadeira onde a deixara na noite anterior. Compreendi o que isto significava e amaldiçoei tanta amabilidade, convencido de que Marina fizera de propósito. Um aroma a pão quente e café acabado de fazer infiltrava-se por debaixo da porta. Abandonando toda a esperança de manter a minha dignidade, dispus-me a descer à cozinha ataviado com aquele ridículo camisão. Saí para o corredor e verifiquei que toda a casa estava mergulhada naquela mágica luminosidade. Ouvi as vozes dos meus anfitriões na cozinha, a conversar. Armei-me de coragem e desci as escadas. Detive-me no umbral da porta e pigarreei. Marina estava a servir café a Germán e ergueu os olhos.

– Bom dia, bela adormecida – disse.

Germán voltou-se e levantou-se cavalheiresco, oferecendo-me a mão e uma cadeira na mesa.

– Bom dia, amigo Óscar! – exclamou com entusiasmo. – É um prazer tê-lo connosco. Marina já me explicou o caso das obras no internato. Fique a saber que pode ficar aqui todo o tempo que for preciso, à confiança. Esta casa é sua.

– Muitíssimo obrigado...

Marina serviu-me uma chávena de café, sorrindo maliciosa e apontando o camisão.

– Fica-te lindamente.

– Perfeito. Pareço a flor de Mântua. Onde está a minha roupa?

– Limpei o que pude e está a secar.

Germán estendeu-me uma bandeja com *croissants* acabados de sair da Pastelaria Foix. A minha boca transformou-se num rio.

– Prove um destes, Óscar – sugeriu Germán. – É o *Mercedes Benz* dos *croissants*. E não faça confusão, isto que aqui vê não é um doce; é um monumento.

Devorei com avidez o que me punham à frente com apetite de náufrago. Germán olhava o jornal distraidamente. Via-se que estava de bom humor e, embora já tivesse acabado de tomar o pequeno-almoço, não se levantou até eu estar empanturrado e não ter mais nada para comer senão os talheres. Depois, consultou o relógio.

– Vais chegar tarde ao teu encontro com o padre, papá – lembrou-lhe Marina.

Germán assentiu com um certo aborrecimento.

– Não sei para que me incomodo... – disse. – O sem-vergonha faz mais batota do que um couteiro.

– É a batina – disse Marina. – Acha que lhe dá o direito...

Olhei para ambos desconcertado, sem fazer a mínima ideia do que quereriam dizer.

– Xadrez – explicou Marina. – Germán e o padre mantêm um duelo há anos.

– Nunca desafie um jesuíta para o xadrez, amigo Óscar. Oiça o que lhe estou a dizer. Com licença... – disse Germán, levantando-se.

– Não havia de faltar mais nada. Boa sorte.

Germán pegou no sobretudo, no chapéu e na bengala de ébano e partiu ao encontro do prelado estratego. Logo que ele saiu, Marina foi ao quintal e voltou com a minha roupa.

– Lamento dizer-te que *Kafka* dormiu em cima dela.

A roupa estava seca, mas o cheiro a felino não ia desaparecer nem com cinco lavagens.

– Esta manhã, ao ir buscar o pequeno-almoço, telefonei para a esquadra da polícia do bar da praça. O inspector Víctor Florián está reformado e vive em Vallvidrera. Não tem telefone, mas deram-me uma morada.

– Visto-me num minuto.

A estação do funicular de Vallvidrera ficava umas ruas adiante da casa de Marina. Com passo firme pusemo-nos lá em dez minutos e comprámos dois bilhetes. Do cais, na base da montanha, o bairro de Vallvidrera desenhava uma varanda sobre a cidade. As casas pareciam suspensas das nuvens por fios invisíveis. Sentámo-nos no fim da carruagem e vimos Barcelona desdobrar-se a nossos pés à medida que o funicular trepava lentamente.

– Deve ser um bom trabalho – disse eu. – Condutor de funiculares. O ascensorista do céu.

Marina olhou para mim, céptica.

– O que tem de mau o que eu disse?

– Nada. Se isso é tudo a que aspiras.

– Não sei a que aspiro. Nem para toda a gente as coisas são tão claras como para ti. Marina Blau, Prémio Nobel de Literatura e conservadora da colecção de camisas de noite da família Bourbon.

Marina ficou tão séria que lamentei de imediato ter feito aquele comentário.

– Quem não sabe para onde vai não chega a parte nenhuma – disse, com frieza.

Mostrei-lhe o meu bilhete.

– Eu sei para onde vou.

Desviou o olhar. Subimos em silêncio durante alguns minutos. A silhueta do meu colégio erguia-se ao longe.

– Arquitecto – sussurrei.

– O quê?

– Quero ser arquitecto. É a isso que aspiro. Nunca tinha dito a ninguém.

Finalmente sorriu-me. O funicular estava a chegar ao cimo da montanha e estremecia como uma velha máquina de lavar.

– Sempre quis ter a minha própria catedral – disse Marina. – Alguma sugestão?

– Gótica. Dá-me tempo e eu construir-ta-ei.

O sol bateu-lhe no rosto e os seus olhos brilharam, fixos em mim.

– Prometes? – perguntou, estendendo-me a palma da mão aberta.

Apertei-lhe a mão com força.

– Prometo.

A morada que Marina conseguira correspondia a uma velha casa que estava praticamente à beira do abismo. O matagal do jardim apoderara-se do lugar. Uma caixa de correio enferrujada erguia-se no meio dele como uma ruína da era industrial. Deslizámos até à porta.

Distinguiam-se caixas com maços de jornais velhos atados com cordéis. A pintura da fachada desprendia-se como uma pele seca, envelhecida pelo vento e a humidade. O inspector Víctor Florián não se empenhava em despesas de manutenção.

– Aqui é que era preciso um arquitecto – disse Marina.

– Ou uma equipa de demolição...

Bati à porta com delicadeza. Receava que, se o fizesse com mais força, o impacte dos nós dos dedos atirasse a casa pela montanha a baixo.

– E se experimentasses com a campainha?

O botão estava partido e viam-se ligações eléctricas da época de Edison na caixa da campainha.

– Não ponho o dedo ali – repliquei, batendo outra vez.

De repente, a porta abriu-se dez centímetros. Uma corrente de segurança brilhou em frente de uns olhos de fulgor metálico.

– Quem é?

– Víctor Florián?

– Sou eu. O que pergunto é quem é.

A voz era autoritária e sem vislumbre de paciência. Voz de rejeição.

– Temos informações sobre Mikhail Kolvenick... – utilizou Marina como apresentação.

A porta abriu-se de par em par. Víctor Florián era um homem largo e musculoso. Vestia o mesmo fato do dia em que se retirara, ou foi o que pensei. A sua expressão era a de um velho coronel sem guerra nem batalhão para comandar. Segurava um charuto apagado entre os lábios e tinha mais pêlos em cada sobrancelha do que a maioria das pessoas em toda a cabeça.

– O que sabem vocês de Kolvenick? Quem são? Quem vos deu esta morada?

Florián não fazia perguntas, metralhava-as. Mandou-nos entrar, depois de dar uma vista de olhos no exterior como se receasse que alguém nos tivesse seguido. O interior da casa era um ninho de imundície e cheirava a arrecadação. Havia mais papéis do que na biblioteca de Alexandria, mas todos revolvidos e arrumados por uma ventoinha.

– Entrem aí para o fundo.

Passámos em frente de um quarto em cuja parede se distinguiam dezenas de armas. Revólveres, pistolas automáticas, espingardas *Mauser*, baionetas... Tinham-se começado revoluções com menos artilharia.

– Virgem Santa... – murmurei.

– Calados, que isto não é uma capela – cortou Florián, fechando a porta daquele arsenal.

O fundo a que se referia era uma pequena sala de jantar de onde se contemplava Barcelona inteira. Mesmo nos seus anos de reforma, o inspector continuava a vigiar de cima. Apontou-nos um sofá cheio de buracos. Em cima da mesa havia uma lata de feijão a meio e uma cerveja *Estrella Dorada*, sem copo. *Pensão de polícia; velhice de mendigo*, pensei. Florián sentou-se numa cadeira à nossa frente e pegou num despertador de feira. Colocou-o com uma pancada em cima da mesa, voltado para nós.

– Quinze minutos. Se num quarto de hora não me tiverem dito qualquer coisa que eu não saiba, ponho-vos a pontapés daqui para fora.

Demorámos bastante mais do que quinze minutos a relatar tudo o que acontecera. À medida que ouvia a nossa história, a fachada de Víctor Florián foi-se deteriorando. Por entre as brechas adivinhei o homem gasto e assustado que se escondia naquele buraco com os seus jornais velhos e a sua colecção de pistolas. No fim da nossa explicação, Florián pegou no seu charuto e, depois de o examinar em silêncio durante quase um minuto, acendeu-o.

Depois, com o olhar perdido na miragem da cidade na bruma, começou a falar.

Capítulo 16

— Em 1945 eu era inspector da brigada judicial de Barcelona – começou Florián. – Estava a pensar em pedir transferência para Madrid, quando fui destacado para o caso da Velo-Granell. A brigada estava há cerca de três anos a investigar Mikhail Kolvenick, um estrangeiro com poucas simpatias dentro do regime... mas não tinham sido capazes de provar nada. O meu antecessor no cargo demitira-se. A Velo-Granell estava rodeada por uma parede de advogados e um labirinto de sociedades financeiras onde tudo se perdia numa nuvem. Os meus superiores venderam-me o caso como uma oportunidade única para fazer carreira. Casos como aqueles colocavam-nos num gabinete no ministério, com motorista e horário de marquês, disseram-me. A ambição tem nome de imprudente...

Florián fez uma pausa, saboreando as suas palavras e sorrindo com sarcasmo para si próprio. Mordiscava o charuto como se fosse um pedaço de alcaçuz.

– Quando estudei o dossiê do caso – continuou –, verifiquei que o que começara como uma investigação de rotina sobre irregularidades financeiras e possível fraude acabara por se transformar num assunto que ninguém sabia bem a que brigada atribuir. Extorsão. Roubo. Tentativa de homicídio... E havia mais coisas... Pensem que a minha experiência até àquela data radicava no desvio de fundos, evasão fiscal, fraude e corrupção... Não que essas irregularidades fossem sempre castigadas, eram outros tempos, mas sabíamos tudo.

Florián mergulhou numa nuvem azul do seu próprio fumo, perturbado.

– Por que aceitou o caso, então? – perguntou Marina.

– Por arrogância. Por ambição e por ganância – respondeu Florián, dedicando a si próprio o tom que, imaginei, guardava para os piores criminosos.

– Talvez também para averiguar a verdade – arrisquei. – Para fazer justiça...

Florián sorriu-me com tristeza. Podiam ler-se trinta anos de remorsos naquele olhar.

– No fim de 1945 a Velo-Granell estava já tecnicamente na falência – continuou Florián. – Os três principais bancos de Barcelona tinham cortado as linhas de crédito e as acções da companhia foram retiradas da cotação pública. Ao desaparecer a base financeira, a muralha legal e a rede de sociedades-fantasma desmoronou-se como um castelo de cartas. Tinham-se esfumado os dias de glória. O Gran Teatro Real, que estivera encerrado desde a tragédia que desfigurou Eva Irinova no dia do casamento, transformara-se numa ruína. A fábrica e as oficinas foram fechadas. As propriedades da empresa, confiscadas. Espalhavam-se rumores como uma gangrena. Kolvenick, sem perder o sangue-frio, decidiu organizar um *cocktail* de luxo na Lonja de Barcelona para dar uma sensação de calma e normalidade. O seu sócio, Sentís, estava à beira do pânico. Não havia fundos nem para pagar uma décima parte da comida que fora encomendada para o evento. Enviaram convites a todos os grandes accionistas, as grandes famílias de Barcelona... Na noite do evento chovia a cântaros. A Lonja estava decorada como um palácio de sonho. Depois das nove da noite, os membros das principais fortunas da cidade, muitas das quais eram devidas a Kolvenick, apresentaram cartões com pedidos de desculpa. Quando cheguei, depois da meia-noite, encontrei Kolvenick só na sala, exibindo o seu fraque impecável e fumando um cigarro dos que mandava importar de Viena. Cumprimentou-me e ofereceu-me uma taça de champanhe. «Coma qualquer coisa, inspector, é uma pena desperdiçar-se tudo isto», disse-me. Nunca tínhamos estado cara a cara. Conversámos durante uma hora. Falou-me de livros que lera na adolescência, de viagens que nunca chegara a fazer... Kolvenick era um homem carismático. A inteligência brilhava-lhe nos olhos. Por muito que tenha tentado, não consegui evitar que me fosse simpático. Mais, senti pena dele, embora supostamente eu fosse o caçador e ele a presa. Observei que coxeava e se apoiava a uma bengala de marfim trabalhado. «Creio que ninguém perdeu tantos amigos num só dia», disse-lhe. Sorriu e rejeitou tranquilo a ideia. «Está enganado, inspector. Em ocasiões como esta, nunca se convidam os amigos.» Perguntou-me com muita delicadeza se fazia tenções de continuar a persegui-lo. Disse-lhe que não pararia até o levar a tribunal. Recordo que me perguntou: «O que poderia eu fazer para dissuadi-lo de semelhante propósito, amigo Florián?» «Matar-me», respondi. «Tudo a seu tempo, inspector», disse, sorrindo. Com estas palavras afastou-se, coxeando. Não voltei a vê-lo... mas continuo vivo. Kolvenick não cumpriu a sua última ameaça.

Florián parou e bebeu um gole de água, saboreando-a como se fosse o último copo do mundo. Lambeu os lábios e continuou a sua narração.

– Desde aquele dia, Kolvenick, isolado e abandonado por todos, viveu encerrado com a esposa no grotesco torreão que mandara construir. Ninguém o viu nos anos seguintes. Apenas duas pessoas tinham acesso a ele. O seu antigo motorista, um tal Luis Claret. Este Claret era um pobre desgraçado que adorava Kolvenick e se negou a abandoná-lo mesmo depois de nem sequer lhe poder pagar o ordenado. E o seu médico pessoal, o doutor Shelley, que também estávamos a investigar. Ninguém mais via Kolvenick. E o testemunho de Shelley garantindo-nos que se encontrava na sua mansão do Parque Güell, afectado por uma doença que não nos soube explicar, não nos convencia de todo, sobretudo depois de dar uma vista de olhos aos seus arquivos e à sua contabilidade. Durante algum tempo chegámos a suspeitar que Kolvenick morrera ou fugira para o estrangeiro, e que tudo aquilo era uma farsa. Shelley continuava a garantir que Kolvenick contraíra uma estranha doença que o mantinha confinado à mansão. Não podia receber visitantes nem sair do seu refúgio em nenhuma circunstância; era esse o seu diagnóstico. Nem nós nem o juiz acreditávamos. A 31 de Dezembro de 1948 obtivemos um mandato para inspeccionar o domicílio de Kolvenick e uma ordem de prisão contra ele. Grande parte da documentação confidencial da empresa desaparecera. Suspeitávamos que se encontrava escondida na sua casa. Tínhamos reunido já suficientes indícios para acusar Kolvenick de fraude e evasão fiscal. Não fazia sentido esperar mais. O último dia de 1948 ia ser o último em liberdade para Kolvenick. Uma brigada especial estava preparada para ir na manhã seguinte ao torreão. Às vezes, com os grandes criminosos, temos de resignar-nos a apanhá-los nos pormenores...

O charuto de Florián apagara-se outra vez. O inspector deitou-lhe um último olhar e deixou-o cair num vaso vazio. Havia ali mais restos de charutos, numa espécie de vala comum para beatas.

– Nessa mesma noite, um pavoroso incêndio destruiu a casa e acabou com a vida de Kolvenick e da esposa, Eva. Ao amanhecer, foram encontrados os dois corpos carbonizados, abraçados no sótão... As nossas esperanças de fechar o caso arderam com eles. Nunca duvidei de que o incêndio fora provocado. Durante algum tempo acreditei que Benjamín Sentís e outros membros da direcção da empresa estavam por trás.

– Sentís? – interrompi.

– Não era segredo nenhum que Sentís detestava Kolvenick por ter conseguido o controlo da empresa do pai, mas tanto ele como os restantes tinham as melhores razões para desejar que o caso nunca chegasse aos tribunais. Morto o cão, acabou-se a raiva. Sem Kolvenick, o *puzzle* não fazia sentido. Poderia dizer-se que naquela noite muitas mãos manchadas de sangue se limparam com o fogo. Mas, uma vez mais, como em tudo o que se relaciona com aquele escândalo desde o primeiro dia, nunca se pôde provar nada. Tudo acabou em cinzas. Ainda hoje, a investigação sobre a Velo-Granell é o maior enigma da história do departamento de polícia desta cidade. E o maior fracasso da minha vida...

– Mas o incêndio não foi culpa sua – afirmei.

– A minha carreira no departamento ficou arruinada. Fui destacado para a brigada anti-subversiva. Sabem o que é isso? Os caçadores de fantasmas. Era assim que eram conhecidos no departamento. Podia ter deixado o lugar, mas era tempo de fome e mantinha o meu irmão e a minha família com o meu ordenado. Além disso, ninguém ia dar emprego a um ex-polícia. As pessoas estavam fartas de espiões e delatores. Portanto, fiquei. O trabalho consistia em passar revista à meia-noite em pensões andrajosas, que albergavam reformados e mutilados de guerra, para procurar cópias de *O Capital* e panfletos socialistas escondidos em sacos de plástico dentro do autoclismo da retrete, coisas assim... No princípio de 1949 julguei que acabara tudo para mim. Tudo aquilo que podia correr mal tinha corrido pior. Ou assim julgava. Ao amanhecer de 13 de Dezembro de 1949, quase um ano depois do incêndio onde morreram Kolvenick e a mulher, os corpos despedaçados de dois inspectores da minha antiga unidade foram encontrados às portas do velho armazém da Velo-Granell, no Borne. Soube-se que foram lá para investigar uma informação anónima que receberam acerca do caso da Velo-Granell. Uma emboscada. Não desejaria nem ao meu pior inimigo a morte que encontraram. Nem as rodas de um comboio fazem a um corpo aquilo que eu vi na morgue... Eram bons polícias. Armados. Sabiam o que faziam. O relatório disse que diversos vizinhos tinham ouvido tiros. Foram encontrados catorze cartuchos de 9 mm na área do crime. Todos eram provenientes das armas regulamentares dos inspectores. Não foi encontrada uma única marca nem projéctil nas paredes.

– Como se explica isso? – perguntou Marina.

– Não tem explicação. É simplesmente impossível. Mas aconteceu... Eu próprio vi os cartuchos e inspeccionei a zona.

Marina e eu trocámos um olhar.

– Não seria possível que os tiros tivessem sido disparados contra um objecto, um carro ou uma carruagem, por exemplo, que recebesse as balas e depois desaparecesse dali sem deixar rasto? – sugeriu Marina.

– A tua amiga seria uma boa polícia. Essa foi a hipótese que admitimos naquele momento, mas ainda não havia evidências que a apoiassem. Projécteis daquele calibre têm tendência a ressaltar sobre superfícies metálicas e deixam um rasto de vários impactes ou, em qualquer caso, fragmentos de projécteis. Não se encontrou nada.

– Dias mais tarde, no enterro dos meus companheiros, encontrei-me com Sentís – continuou Florián. – Estava abalado, com aspecto de não dormir há dias. Tinha a roupa suja e tresandava a álcool. Confessou-me que não se atrevia a voltar para casa, que andava há dias a vaguear, a dormir em locais públicos... «A minha vida não vale nada, Florián», disse-me. «Sou um homem morto.» Ofereci-lhe a protecção da polícia. Riu. Inclusive propus-lhe que se refugiasse em minha casa. Recusou. «Não quero ter a sua morte na consciência, Florián», disse antes de se perder por entre as pessoas. Nos meses seguintes, todos os antigos membros do conselho directivo da Velo-Granell encontraram a morte, teoricamente, de um modo natural. Paragem cardíaca, foi o diagnóstico clínico em todos os casos. As circunstâncias eram semelhantes. Sozinhos nas suas camas, sempre à meia-noite, sempre arrastando-se pelo chão... a fugir de uma morte que não deixava rasto. Todos excepto Benjamín Sentís. Não voltei a falar com ele durante trinta anos, até há umas semanas.

– Antes da sua morte... – fiz notar.

Florián assentiu.

– Telefonou para o comissariado e perguntou por mim. Segundo ele, tinha informações sobre os crimes na fábrica e sobre o caso da Velo-Granell. Telefonei-lhe e falei com ele. Pensei que delirava, mas concordei em vê-lo. Por compaixão. Marcámos encontro numa taberna da Calle Princesa no dia seguinte. Não compareceu ao encontro. Dois dias mais tarde, um velho amigo do comissariado telefonou-me para me dizer que encontraram o seu cadáver num túnel abandonado dos esgotos em Ciutat Vella. As mãos artificiais que Kolvenick criara para ele tinham sido amputadas. Mas isso vinha na imprensa. O que os jornais não publicaram foi que a polícia encontrou uma palavra escrita com sangue na parede do túnel: «*Teufel.*»

– *Teufel*?

– É alemão – disse Marina. – Significa «diabo».

– Também é o nome do símbolo de Kolvenick – revelou-nos Florián.

– A borboleta negra?

Abanou afirmativamente a cabeça.

– Por que se chama assim? – perguntou Marina.

– Não sou entomólogo. Apenas sei que Kolvenick as coleccionava – disse.

Aproximava-se o meio-dia e Florián convidou-nos para comer qualquer coisa num bar que havia perto da estação. Apetecia-nos a todos sair daquela casa.

O dono do bar parecia amigo de Florián e guiou-nos para uma mesa à parte, junto de uma janela.

– Visita dos netos, chefe? – perguntou, sorridente.

O interpelado assentiu sem dar mais explicações. Um criado serviu-nos umas porções de *tortilla* e pão com tomate; também trouxe uma caixa de *Ducados* para Florián. Saboreando o almoço, que estava excelente, Florián continuou a narração.

– Ao iniciar a investigação sobre a Velo-Granell, averiguei que Mikhail Kolvenick não tinha um passado claro... Em Praga não havia qualquer registo do seu nascimento e nacionalidade. Provavelmente Mikhail não era o seu verdadeiro nome.

– Quem era então? – perguntei.

– Há mais de trinta anos que faço a mim mesmo essa pergunta. De facto, quando me pus em contacto com a polícia de Praga, descobri o nome de um tal Mikhail Kolvenick, mas aparecia nos registos de WolferHaus.

– O que é isso? – perguntei.

– O manicómio municipal. Mas não creio que Kolvenick tivesse lá estado alguma vez. Apenas adoptou o nome de um dos internos. Kolvenick não estava louco.

– Por que motivo adoptaria Kolvenick a identidade de um doente de um manicómio? – perguntou Marina.

– Não era uma coisa assim tão pouco usual na época – explicou Florián. – Em tempos de guerra, mudar de identidade pode significar nascer de novo. Deixar para trás um passado indesejável. Vocês são muito novos e não viveram uma guerra. Só se conhecem as pessoas depois de se ter vivido uma guerra...

– Kolvenick tinha algo a esconder? – perguntei. – Se a polícia de Praga estava informada em relação a ele, devia ser por alguma coisa...

– Pura coincidência de apelidos. Burocracia. Acreditem, sei do que estou a falar – disse Florián. – Supondo que o Kolvenick dos seus arquivos fosse o nosso Kolvenick, deixou pouco rasto. O seu nome era mencionado na investigação da morte de um cirurgião de Praga, um homem chamado Antonin Kolvenick. O caso foi encerrado e a morte atribuída a causas naturais.

– Por que motivo, então, levaram esse Mikhail Kolvenick para um manicómio? – interrogou Marina desta vez.

Florián hesitou uns instantes, como se não se atrevesse a responder.

– Suspeitava-se que tivesse feito algo com o corpo do falecido...

– Algo?

– A polícia de Praga não esclareceu o quê – replicou Florián, em tom seco, e acendeu outro cigarro.

Mergulhámos num longo silêncio.

– O que há sobre a história que nos contou o doutor Shelley? Acerca do irmão gémeo de Kolvenick, a doença degenerativa e...

– Isso foi o que Kolvenick lhe explicou. Esse homem mentia com a mesma facilidade com que respirava. E Shelley tinha boas razões para acreditar nele sem fazer perguntas – disse Florián.

– Kolvenick financiava o seu instituto médico e as suas investigações até à última peseta. Shelley era praticamente mais um empregado da Velo-Granell. Um esbirro...

– Então o irmão gémeo de Kolvenick era outra ficção? – Estava desconcertado. – A sua existência justificaria a obsessão de Kolvenick pelas vítimas com deformações e...

– Não creio que o irmão fosse uma ficção – cortou Florián. – Na minha opinião.

– Então?

– Creio que essa criança de que falava era na realidade ele mesmo.

– Mais uma pergunta, inspector...

– Já não sou inspector, minha filha.

– Víctor, então. Ainda é Víctor, não é verdade?

Aquela foi a primeira vez que vi Florián sorrir de forma descontraída e aberta.

– Qual é a pergunta?

– Disse-nos que, ao investigar as acusações de fraude da Velo-Granell, descobriram que havia mais alguma coisa...

– Sim. A princípio julgámos que era um subterfúgio, como é típico: contas de gastos e pagamentos inexistentes para fugir aos impostos, pagamentos a hospitais, centros de acolhimento de indigentes, etc. Até que pareceu estranho a um dos meus homens que certos gastos fossem facturados, com a assinatura e aprovação do doutor Shelley, ao Serviço de Necrópsias de vários hospitais de Barcelona. Ou seja, aos depósitos de cadáveres – esclareceu o ex-polícia. – À morgue.

– Kolvenick vendia cadáveres? – sugeriu Marina.

– Não. Comprava-os. Às dezenas. Vagabundos. Pessoas que morriam sem família nem conhecidos. Suicidas, afogados, idosos abandonados... Os esquecidos da cidade.

O murmúrio de um rádio perdia-se ao fundo, como um eco da nossa conversa.

– E o que fazia Kolvenick com esses corpos?

– Ninguém sabe – replicou Florián. – Nunca os conseguimos encontrar.

– Mas tem uma teoria a esse respeito, não é verdade, Víctor? – continuou Marina.

Florián observou-nos em silêncio.

– Não.

Para ser um polícia, embora estivesse reformado, mentir não era com ele. Marina não insistiu no assunto. O inspector parecia cansado, consumido por sombras que lhe povoavam as recordações. Desmoronara-se toda a sua ferocidade. O cigarro tremia-lhe na mão e tornava-se difícil determinar quem estava a fumar quem.

– Quanto a essa estufa de que me falaram... Não voltem lá. Esqueçam esse assunto. Esqueçam esse álbum de fotografias, esse túmulo sem nome e essa dama que o visita. Esqueçam Sentís, Shelley e eu, que não sou mais do que um pobre velho que nem sequer sabe o que diz. Este assunto já destruiu vidas suficientes. Esqueçam-no.

Fez sinal ao criado para anotar o consumo na sua conta e concluiu:

– Prometam fazer-me a vontade.

Interroguei-me como poderíamos deixar correr o assunto quando este precisamente corria atrás de nós. Depois do que acontecera na noite anterior, os seus conselhos soavam-me a conto de fadas.

– Tentaremos – aceitou Marina pelos dois.

– O caminho para o Inferno é feito de boas intenções – reiterou Florián.

O inspector acompanhou-nos até à estação do funicular e deu--nos o telefone do bar.

– Aqui conhecem-me. Se precisarem de qualquer coisa, telefonem e eles dão-me o recado. A qualquer hora do dia ou da noite. Manu, o dono, tem insónias crónicas e passa as noites a ouvir a BBC, para ver se aprende línguas, portanto, não incomodam...

– Não sei como agradecer-lhe...

– Agradeçam-me levando em conta o que eu digo e mantendo--se à margem desta história – cortou Florián.

Assentimos. O funicular abriu as portas.

– E você, Víctor? – perguntou Marina. – O que vai você fazer?

– O que fazem todos os velhos: sentar-me a recordar e a interrogar-me sobre o que teria acontecido se tivesse feito tudo ao contrário. Vá, vão-se embora...

Metemo-nos na carruagem e sentámo-nos junto da janela. Entardecia. Soou um apito e as portas fecharam-se. O funicular iniciou a descida com uma sacudidela. Lentamente, as luzes de Vallvidrera foram ficando para trás, tal como a silhueta de Florián, imóvel no cais.

Germán preparara um delicioso prato italiano cujo nome soava a repertório de ópera. Jantámos na cozinha, ouvindo Germán relatar o seu torneio de xadrez com o padre, que, como sempre, ganhara. Marina permaneceu estranhamente calada durante o jantar, deixando-nos a Germán e a mim a despesa da conversa. Interroguei-me mesmo se teria dito ou feito alguma coisa que a tivesse aborrecido. Depois do jantar, Germán desafiou-me para um jogo de xadrez.

– Gostaria muito, mas creio que me compete lavar os pratos – respondi.

– Eu lavo-os – disse Marina atrás de mim, em voz fraca.

– Não, a sério... – objectei.

Germán já estava na outra divisão, cantarolando e dispondo linhas de peões. Voltei-me para Marina, que desviou o olhar e começou a lavar.

– Deixa-me ajudar-te.

– Não... Vai ter com Germán. Dá-lhe esse gosto.

– Vem, Óscar? – chegou a voz de Germán vinda da sala.

Contemplei Marina à luz das velas que ardiam em cima da prateleira. Pareceu-me que estava pálida, cansada.

– Estás bem?

Voltou-se e sorriu-me. Marina tinha uma maneira de sorrir que me fazia sentir pequeno e insignificante.

– Anda, vai. E deixa-o ganhar.

– Isso é fácil.

Aceitei a sua sugestão e deixei-a só. Fui ter com o pai ao salão. Ali, por baixo do candelabro de quartzo, sentei-me ao tabuleiro decidido a que passasse o agradável bocado que a filha desejava.

– Comece, Óscar.

Movi uma peça. Ele pigarreou.

– Lembro-lhe que os peões não saltam dessa maneira, Óscar.

– Desculpe.

– Deixe lá. É o fogo da juventude. Pode acreditar que o invejo. A juventude é uma namorada caprichosa. Não a sabemos entender nem valorizar até que se vai para não mais voltar... ai!... Enfim, não sei a que propósito vinha isto. Vamos lá a ver... peão...

À meia-noite um som arrancou-me de um sonho. A casa estava na penumbra. Sentei-me na cama e ouvi-o outra vez. Uma tosse abafada, distante. Inquieto, levantei-me e saí para o corredor. O ruído provinha do andar de baixo. Passei em frente da porta do quarto de Marina. Estava aberta e a cama vazia. Senti uma pontada de medo.

– Marina?

Não houve resposta. Desci os frios degraus nas pontas dos pés. Os olhos de *Kafka* brilhavam na base das escadas. O gato miou debilmente e guiou-me por um corredor escuro. Ao fundo, um fio de luz filtrava-se de uma porta fechada. A tosse era proveniente lá de dentro. Dolorosa. Agonizante. *Kafka* aproximou-se da porta e deteve-se ali, miando. Chamei com doçura:

– Marina?

Um longo silêncio.

– Vai-te embora, Óscar.

A sua voz era um gemido. Deixei passar uns segundos e abri. Uma vela no chão mal iluminava a casa de banho de azulejos brancos. Marina estava ajoelhada e tinha a testa apoiada no lavabo. Tremia e a transpiração colara-lhe a camisa de dormir à pele como uma mortalha. Ocultou o rosto, mas pude ver que estava a sangrar pelo nariz e que várias manchas escarlates lhe cobriam o peito. Fiquei paralisado, incapaz de reagir.

– O que se passa contigo... ? – murmurei.

– Fecha a porta – disse com firmeza. – Fecha.

Fiz o que me ordenava e voltei para junto dela. Estava a arder em febre. O cabelo colado à cara, encharcada de suor gelado. Assustado, precipitei-me para ir buscar Germán, mas a sua mão agarrou-me com uma força que parecia impossível nela.

– Não!

– Mas...

– Estou bem.

– Não estás bem!

– Óscar, pelo que mais sagrado for para ti, não chames Germán. Ele não pode fazer nada. Já passou. Estou melhor.

A serenidade da sua voz foi aterradora para mim. Os seus olhos procuraram os meus. Algo neles me obrigou a obedecer. Então acariciou-me a cara.

– Não te assustes. Estou melhor.

– Estás pálida como uma morta... – balbuciei.

Pegou-me na mão e levou-a ao peito. Senti o bater do seu coração por baixo das costelas. Retirei a mão, sem saber o que fazer.

– Viva e para durar. Vês? Vais prometer-me que não vais dizer nada disto a Germán.

– Porquê? – protestei. – O que se passa contigo?

Baixou os olhos, infinitamente cansada. Calei-me.

– Promete-me.

– Tens de ser vista por um médico.

– Promete-me, Óscar.

– Se me prometeres ir a um médico.

– Contrato feito. Prometo-te.

Humedeceu uma toalha com a qual começou a limpar o sangue do rosto. Sentia-me um inútil.

– Agora que me viste desta maneira, já não vais gostar de mim.

– Não vejo onde está a graça.

Continuou a limpar-se em silêncio, sem afastar os olhos de mim. O seu corpo, preso no algodão húmido, quase transparente, pareceu-me frágil e quebradiço. Surpreendeu-me não sentir qualquer embaraço ao contemplá-la assim. Também não se adivinhava nela pudor devido à minha presença. Tremiam-lhe as mãos quando enxugou o suor e o sangue do corpo. Encontrei um roupão de banho limpo pendurado na porta e estendi-lho, aberto. Cobriu-se com ele e suspirou, exausta.

– O que posso fazer? – murmurei.

– Fica aqui comigo.

Sentou-se em frente de um espelho. Com uma escova, tentou em vão pôr alguma ordem no cabelo emaranhado que lhe caía sobre os ombros. Faltavam-lhe as forças.

– Deixa-me fazer isso – e tirei-lhe a escova.

Penteei-a em silêncio, os nossos olhares encontrando-se no espelho. Enquanto o fazia, Marina agarrou-me na mão com força e apertou-a de encontro à face. Senti as suas lágrimas na minha pele e faltou-me a coragem para lhe perguntar por que chorava.

Acompanhei Marina até ao quarto e ajudei-a a deitar-se. Já não tremia e a cor voltara ao rosto.

– Obrigada... – sussurrou.

Decidi que o melhor era deixá-la descansar e voltei para o meu quarto. Estendi-me outra vez na cama e procurei conciliar o sono sem êxito. Inquieto, jazia no escuro ouvindo o casarão ranger enquanto o vento arranhava as árvores. Corroía-me uma ansiedade cega. Estavam a acontecer demasiadas coisas demasiado depressa. O meu cérebro não as conseguia assimilar ao mesmo tempo. Na escuridão da madrugada tudo parecia confundir-se. Mas nada me assustava mais do que não ser capaz de compreender ou explicar a mim mesmo os meus próprios sentimentos por Marina. Despontava a madrugada quando por fim adormeci.

Em sonhos encontrei-me a percorrer as salas de um palácio de mármore branco, deserto e mergulhado em trevas. Povoavam-no centenas de estátuas. As figuras abriam os olhos de pedra à minha passagem e murmuravam palavras que não entendia. Então, ao longe, julguei ver Marina e corri ao seu encontro. Uma silhueta de luz branca em forma de anjo levava-a pela mão ao longo de um corredor cujas paredes sangravam. Eu procurava alcançá-las quando uma das portas do corredor se abriu e a figura de María Shelley emergiu, flutuando acima do solo e arrastando uma mortalha puída. Chorava, embora as suas lágrimas nunca chegassem ao chão. Estendeu para mim os braços e, ao tocar-me, o seu corpo desfez-se em cinzas. Eu gritava o nome de Marina, rogando-lhe que voltasse, mas ela não parecia ouvir-me. Corria o mais que podia, mas o corredor alongava-se à minha passagem. Então o anjo de luz voltou-se para mim e revelou-me o seu verdadeiro rosto. Os olhos eram órbitas vazias e os cabelos serpentes brancas. Ria com crueldade e, estendendo as suas asas brancas sobre Marina, o anjo infernal afastou-se. No sonho senti como um hálito fétido me roçava a nuca. Era o inconfundível cheiro da morte, sussurrando o meu nome. Voltei-me e vi uma borboleta negra pousar sobre o meu ombro.

Capítulo 17

Acordei sem fôlego. Sentia-me mais fatigado do que quando me deitara. Pulsavam-me as têmporas como se tivesse bebido duas cafeteiras de café preto. Não sabia que horas eram mas, a julgar pelo Sol, devia rondar o meio-dia. Os ponteiros do despertador confirmaram o meu diagnóstico. Meio-dia e meia. Apressei-me a descer, mas a casa estava vazia. Um pequeno-almoço, já frio, esperava-me em cima da mesa da cozinha, ao lado de um bilhete.

Óscar

Tivemos de ir ao médico. Estaremos fora todo o dia. Não te esqueças de dar de comer a Kafka. *Vemo-nos à hora de jantar.*

Marina

Reli o bilhete, estudando a caligrafia enquanto dava conta do pequeno-almoço. *Kafka* dignou-se aparecer minutos mais tarde e dei-lhe uma taça de leite. Não sabia o que havia de fazer naquele dia. Decidi ir ao internato buscar alguma roupa e dizer à dona Paula que não se preocupasse em limpar o meu quarto, porque ia passar as férias com a minha família. O passeio até ao internato soube-me bem. Entrei pela porta principal e dirigi-me ao apartamento da dona Paula no terceiro andar.

Dona Paula era uma boa mulher, a que nunca faltava um sorriso para os internos. Estava viúva há trinta anos e Deus sabe quantos mais a dieta. «Sabe, é que sou de natureza de engordar», dizia sempre. Nunca tivera filhos e, mesmo agora, rondando os sessenta e cinco, comia com os olhos os bebés que via passar nos seus carrinhos quando ia ao mercado. Vivia só, sem outra companhia a não ser dois canários e um enorme televisor *Zenit*, que só apagava quando o hino nacional e os retratos da família real a mandavam ir dormir. Tinha a pele das mãos estragada pela lixívia. As veias dos tornozelos inchados doíam só de olhar. Os únicos luxos que se permitia eram uma visita ao cabeleireiro de duas em duas semanas e a *Hola*. Fascinava-a ler sobre a vida das princesas e admirar os vestidos das estrelas de cinema e teatro. Quando lhe bati à porta, dona Paula estava a ver uma reposição de *O Rouxinol dos Pirenéus* de um ciclo de musicais de Joselito na Sessão da Tarde. Para acompanhar, preparava uma dose de torradas transbordantes de leite condensado e canela.

– Boa tarde, dona Paula. Desculpe incomodá-la.

– Ai, Óscar, meu filho, não incomodas nada! Entra, entra...

No ecrã, Joselito cantava uma canção a um cabritinho sob o olhar benévolo e encantado de dois guardas civis. Junto do televisor, uma colecção de imagenzinhas da Virgem partilhava a prateleira de honra com os velhos retratos do marido, Rodolfo, todo brilhantina e de resplandecente uniforme da Falange. Apesar da sua devoção pelo seu defunto marido, dona Paula estava encantada com a democracia porque, como dizia, agora a televisão era a cores e havia que estar em dia.

– Ouve lá, que barulho na outra noite, hem? No telejornal explicaram aquilo do terramoto lá da Colômbia e ai, vê lá!, não sei, entrou-me um medo no corpo...

– Não se preocupe, dona Paula, que a Colômbia fica muito longe.

– Diz que sim, mas como também falam espanhol, não sei, digo eu que…

– Deixe lá isso, que não há perigo. Queria dizer-lhe que não se preocupasse com o meu quarto. Vou passar o Natal com a família.

– Ai, Óscar, que alegria!

Dona Paula quase me vira crescer e estava convencida de que tudo o que eu fazia era perfeito. «Tu sim, tens talento», costumava dizer, embora nunca tenha chegado a explicar muito bem para quê. Insistiu para que bebesse um copo de leite e comesse uns biscoitos que ela mesma fazia. Foi o que fiz, apesar de não ter apetite. Estive um bocado com ela, vendo o filme na televisão e concordando com todos os seus comentários. A boa mulher falava pelos cotovelos quando tinha companhia, ou seja, quase nunca.

– Olha que o rapazito era simpático, não era? – e apontava para o angelical Joselito.

– Era, era, dona Paula. Vou ter de deixá-la agora…

Dei-lhe um beijo de despedida na bochecha e fui embora. Subi um minuto ao meu quarto e peguei a toda a pressa em algumas camisas, umas calças e roupa interior limpa. Meti tudo num saco, sem demorar um segundo mais do que o necessário. Ao sair, passei pela secretaria e repeti a minha história das férias com a família com uma cara imperturbável. Saí dali a desejar que fosse tudo tão fácil como mentir.

Jantámos em silêncio na sala dos quadros. Germán estava circunspecto, perdido dentro de si mesmo. Às vezes os nossos olhares encontravam-se e ele sorria-me, por pura delicadeza. Marina mexia com a colher a sopa num prato, sem nunca a levar à boca. Toda a conversa se reduziu ao som dos talheres arranhando os pratos e ao crepitar das velas. Não era difícil imaginar que o médico não dera boas notícias sobre a saúde de Germán. Decidi não perguntar acerca do que parecia evidente. Depois do jantar, Germán desculpou-se e retirou-se para o quarto. Achei-o mais envelhecido e cansado do que nunca. Desde que o conhecia, era a primeira vez que o via ignorar os retratos da esposa Kirsten. Logo que desapareceu, Marina afastou o seu prato intacto e suspirou.

– Não comeste nada.

– Não tenho fome.

– Más notícias?

– Falemos de outra coisa, está bem? – cortou em tom seco, quase hostil.

A lâmina nas suas palavras fez-me sentir um estranho em casa alheia. Como se tivesse querido lembrar-me que aquela não era a minha família, que aquela não era a minha casa nem aqueles eram problemas meus, por muito que me esforçasse em manter essa ilusão.

– Desculpa – murmurou passado um bocado, estendendo a mão para mim.

– Não tem importância – menti.

Levantei-me para levar os pratos para a cozinha. Ela ficou sentada, em silêncio, acariciando *Kafka,* que ronronava no seu colo. Demorei mais tempo do que o necessário. Lavei pratos até que deixei de sentir as mãos debaixo da água fria. Quando voltei à sala, Marina já se retirara. Deixara duas velas acesas para mim. O resto da casa estava escuro e silencioso. Soprei as velas e saí para o jardim. Espalhavam-se lentamente nuvens negras no céu. Um vento gelado agitava o arvoredo. Olhei para trás e notei que havia luz na janela de Marina. Imaginei-a estendida na cama. No momento seguinte, a luz apagou-se. O casarão ergueu-se escuro como a ruína que me parecera no primeiro dia. Admiti a possibilidade de também me ir deitar e descansar, mas pressentia um princípio de ansiedade que sugeria uma longa noite sem sono. Optei por sair para clarear as ideias ou, pelo menos, cansar o corpo. Mal dera dois passos quando começou a chuviscar. Era uma noite desagradável e não havia ninguém nas ruas. Enfiei as mãos nos bolsos e continuei a andar. Vagabundeei durante quase duas horas. Nem o frio nem a chuva acharam por bem conceder-me o cansaço que tanto desejava. Algo me rondava na cabeça e, quanto mais procurava ignorá-lo, mais intensa se tornava a sua presença.

Os meus passos levaram-me ao cemitério de Sarriá. A chuva cuspia sobre rostos de pedra enegrecida e cruzes inclinadas. Por detrás do gradeamento podia distinguir-se uma galeria de vultos espectrais. A terra humedecida cheirava a flores mortas. Apoiei a cabeça entre as grades. O metal estava frio. Um rasto de ferrugem deslizou pela minha pele. Perscrutei as trevas como se esperasse encontrar naquele lugar a explicação para tudo o que estava a acontecer. Não soube ver mais do que morte e silêncio. O que estava ali a fazer? Se ainda me restava um pouco de bom senso, voltaria para o casarão e dormiria cem horas sem interrupção. Aquela era provavelmente a melhor ideia que tivera nos últimos três meses.

Dei meia volta e dispus-me a regressar pelo estreito caminho de ciprestes. Um candeeiro distante brilhava sob a chuva. De súbito eclipsou-se o seu halo de luz. Um vulto escuro invadiu tudo. Ouvi cascos de cavalos no empedrado e descobri uma carruagem negra que se aproximava, rasgando a cortina de chuva. O bafo dos cavalos cor de azeviche exalava espectros de vapor. A figura anacrónica de um cocheiro recortava-se no assento. Procurei um esconderijo num dos lados do caminho, mas apenas encontrei muros despidos. Senti o solo a vibrar sob os meus pés. Só tinha uma opção: voltar para trás. Encharcado e quase sem respirar, escalei o gradeamento e saltei para o interior do recinto sagrado.

Capítulo 18

Caí sobre uma base de barro que se desfazia sob o aguaceiro. Riachos de água suja arrastavam flores secas e reptavam por entre as lápides. Mergulhei de pés e mãos na lama. Levantei-me e corri a esconder-me atrás de um busto de mármore que erguia os braços ao céu. A carruagem parara do outro lado do gradeamento. O cocheiro desceu. Levava uma lanterna e envergava uma capa que o cobria por completo. Um chapéu de aba larga e um cachecol protegiam-no da chuva e do frio, velando-lhe o rosto. Reconheci a carruagem. Era a mesma que levara a dama de negro naquela manhã na estação de Francia. Sobre uma das portinholas via-se o símbolo da borboleta negra. Cortinas de veludo escuro cobriam as janelas. Perguntei a mim mesmo se ela estaria lá dentro.

O cocheiro aproximou-se do gradeamento e esquadrinhou com o olhar o interior. Colei-me à estátua, imóvel. Depois ouvi o tilintar de um molho de chaves. O estalido metálico de um cadeado. Praguejei baixinho. Os ferros chiaram. Passos na lama. O cocheiro estava a aproximar-se do meu esconderijo. Tinha de sair dali. Voltei-me para examinar o cemitério atrás de mim. O véu de nuvens negras abriu-se. A Lua desenhou uma vereda de luz espectral. A galeria de túmulos brilhou nas trevas por um instante. Arrastei-me por entre lápides, retrocedendo para o interior do cemitério.

Alcancei a base de um mausoléu. Portas de ferro forjado e vidro selavam-no. O cocheiro continuava a aproximar-se. Contive a respiração e afundei-me nas sombras. Passou a menos de dois metros de mim, segurando a lanterna ao alto. Continuou e suspirei. Vi-o afastar-se para o coração do cemitério e soube de imediato para onde se dirigia.

Era uma loucura, mas segui-o. Fui-me ocultando entre as lápides até à ala norte do recinto. Uma vez ali, icei-me para uma plataforma que dominava toda a área. Uns metros mais abaixo brilhava a lanterna do cocheiro, apoiada sobre o túmulo sem nome. A chuva deslizava sobre a figura da borboleta gravada na pedra, como se sangrasse. Vi a silhueta do cocheiro inclinar-se sobre o túmulo. Extraiu um objecto longo do interior da capa, uma barra de metal, e fez força com ela. Engoli em seco ao compreender o que tentava fazer. Queria abrir o túmulo. Desejava fugir dali, mas não me conseguia mexer. Usando a barra como alavanca, conseguiu deslocar a lousa uns centímetros. Lentamente, o poço de negrume do túmulo foi-se abrindo até que a lousa caiu para um dos lados com o seu próprio peso e se partiu em duas com o impacte. Senti a vibração da pancada sob o meu corpo. O cocheiro pegou na lanterna do chão e ergueu-a sobre uma cova de dois metros de profundidade. Um elevador para o Inferno. A superfície de um ataúde negro brilhava no fundo. O cocheiro ergueu os olhos para o céu e, de repente, saltou para o interior do túmulo. Desapareceu da minha vista num instante, como se a terra o tivesse engolido. Ouvi pancadas e o som de madeira velha a partir-se. Saltei e, rastejando sobre a lama, aproximei-me milímetro a milímetro da beira da cova. Espreitei.

A chuva precipitava-se no interior do túmulo e o fundo estava a ficar inundado. O cocheiro continuava lá. Naquele momento, puxava pela tampa do ataúde, que cedeu de um dos lados com um estrondo. A madeira apodrecida e o tecido puído ficaram expostos à luz. O ataúde estava vazio. O homem contemplou-o, imóvel. Ouvi-o murmurar qualquer coisa. Soube que era a altura de sair dali rapidamente. Mas, ao fazê-lo, empurrei uma pedra, que se precipitou no interior e bateu no ataúde. Num décimo de segundo, o cocheiro voltou-se para mim. Na mão direita segurava um revólver.

Desatei a correr desesperado para a saída, contornando lápides e estátuas. Ouvi o cocheiro gritar atrás de mim, trepando para fora da fossa. Vislumbrei o gradeamento da saída e a carruagem do outro lado. Corri para lá sem fôlego. Os passos do cocheiro estavam próximos. Compreendi que me alcançaria numa questão de segundos em campo aberto. Lembrei-me da arma na sua mão e olhei com desespero à minha volta, procurando um esconderijo. O olhar deteve-se na única alternativa que tinha. Implorei para que o cocheiro nunca se lembrasse de procurar ali: o baú que havia na parte de trás da carruagem. Saltei sobre a plataforma e enfiei-me de cabeça. Apenas uns segundos depois, ouvi os passos apressados do cocheiro alcançar o caminho de ciprestes.

Imaginei o que os seus olhos estariam a ver. O caminho estreito, vazio sob a chuva. Os passos detiveram-se. Rodearam a carruagem. Receei ter deixado marcas que denunciassem a minha presença. Senti o corpo do cocheiro subir para o assento. Permaneci imóvel. Os cavalos relincharam. A espera foi interminável para mim. Então ouvi o estalido de um chicote, e uma sacudidela fez-me cair no fundo do baú de transporte. Estávamos em andamento.

O movimento depressa se traduziu numa vibração seca e brusca que me ressoava nos músculos petrificados pelo frio. Procurei espreitar pela abertura do baú, mas era quase impossível segurar-me com o balanço.

Deixávamos Sarriá para trás. Calculei as probabilidades de partir a cabeça se tentasse saltar da carruagem em movimento. Pus de parte a ideia. Não me sentia com forças para tentar mais heroísmos e, no fundo, queria saber onde nos dirigíamos, de forma que me rendi às circunstâncias. Estendi-me no fundo como pude a descansar. Suspeitava que ia precisar de recuperar forças para mais tarde.

O trajecto pareceu-me sem fim. Do baú, a minha perspectiva não ajudava e pareceu-me que tínhamos percorrido quilómetros debaixo da chuva. Estava a ficar com os músculos entumecidos sob a roupa molhada. Deixáramos para trás as avenidas de maior movimento. Agora percorríamos ruas desertas. Endireitei-me e icei-me até à abertura para dar uma vista de olhos. Vi ruas escuras e estreitas como brechas cortadas na rocha. Candeeiros e fachadas góticas na neblina. Deixei-me cair de novo, desconcertado. Estávamos na cidade velha, em qualquer ponto do Raval. O cheiro a fossas inundadas subia como o rasto de um pântano. Deambulámos pelo coração das trevas de Barcelona durante quase meia hora antes de pararmos. Ouvi o cocheiro descer do assento. Segundos depois, o som de um portão. A carruagem avançou a trote lento e entrámos naquilo que, pelo cheiro, supus que fosse uma velha cavalariça. O portão fechou-se de novo.

Permaneci imóvel. O cocheiro desatrelou os cavalos e murmurou-lhes algumas palavras que não consegui decifrar. Uma franja de luz entrava pela abertura do baú. Ouvi correr água e passos sobre palha. Por fim, a luz apagou-se. Os passos do cocheiro afastaram-se. Esperei uns minutos, até ouvir apenas a respiração dos cavalos. Deslizei para fora do baú. Uma penumbra azulada flutuava nas cavalariças. Dirigi-me em silêncio na direcção de uma porta lateral. Saí para uma garagem escura de tectos altos e suportados por vigas de madeira. O contorno de uma porta que parecia uma saída de emergência desenhava-se ao fundo. Verifiquei que a fechadura só se podia abrir por dentro. Abri-a com cuidado e saí por fim para a rua.

Encontrei-me num beco escuro do Raval. Era tão estreito que podia tocar nos dois lados apenas abrindo os braços. Um riacho fétido corria pelo centro do empedrado. A esquina estava apenas a dez metros. Avancei até lá. Uma rua mais larga brilhava à luz diáfana de candeeiros que deviam ter mais de cem anos. Vi o portão da cavalariça de um dos lados do edifício, uma estrutura cinzenta e miserável. Sobre o dintel da porta lia-se a data de construção: 1888. Notei daquela perspectiva que o edifício não passava de um anexo de uma estrutura maior que ocupava todo o bloco. Este segundo edifício tinha umas dimensões palacianas. Estava coberto por um recife de andaimes e lonas sujas que o mascaravam completamente. No seu interior poder-se-ia ocultar uma catedral. Tentei descobrir o que era, sem êxito. Não me veio à cabeça nenhuma estrutura daquele tipo que se encontrasse naquela zona do Raval.

Aproximei-me até lá e dei uma vista de olhos por entre os painéis de madeira que cobriam a estrutura. Uma espessa escuridão velava um grande alpendre de estilo modernista. Consegui ver colunas e uma fila de janelas decoradas com um intrincado desenho de ferro forjado. Bilheteiras. Os arcos de entrada que se viam mais adiante fizeram-me lembrar os pórticos de um castelo de lenda. Todo ele estava coberto por uma camada de escombros, humidade e abandono. Compreendi de repente onde estava. Aquele era o Gran Teatro Real, o sumptuoso monumento que Mikhail Kolvenick mandara reconstruir para a esposa Eva e cujo palco nunca chegara a estrear. O teatro erguia-se agora como uma colossal catacumba em ruínas. Um filho bastardo da Ópera de Paris e do templo da Sagrada Família à espera de ser demolido.

Regressei ao edifício contíguo onde ficavam as cavalariças. O pátio era um buraco negro. O portão de madeira tinha recortada uma pequena porta que fazia lembrar a entrada de um convento. Ou uma prisão. A portinha estava aberta e introduzi-me no vestíbulo. Uma clarabóia fantasmagórica subia até uma galeria de vidros partidos. Uma teia de aranha de varais cobertos de farrapos agitava-se ao vento. O lugar cheirava a miséria, a fossa e a doença. As paredes ressumavam água suja de canalizações rebentadas. O chão estava encharcado. Distingui uma pilha de caixas de correio enferrujadas e aproximei-me para as examinar. Na sua maioria estavam vazias, destruídas e sem nome. Apenas uma delas parecia estar em uso. Li o nome por baixo da sujidade:

Luis Claret i Milá, 3.º

O nome era-me familiar, embora não soubesse porquê. Interroguei-me se seria essa a identidade do cocheiro. Repeti diversas vezes para mim mesmo aquele nome, tentando recordar onde o ouvira. De repente, fez-se luz na minha memória. O inspector Florián dissera-nos que, nos últimos tempos de Kolvenick, apenas duas pessoas tinham tido acesso a ele e à esposa Eva no torreão do Parque Güell: Shelley, o seu médico pessoal, e um motorista que se negava a abandonar o seu patrão, Luis Claret. Apalpei os bolsos à procura do número de telefone que Florián nos dera para o caso de necessitarmos de nos pôr em contacto com ele. Julguei que o encontrara quando ouvi vozes e passos no alto da escada. Fugi.

Uma vez na rua, corri a ocultar-me por detrás da esquina do beco. Pouco depois, uma silhueta assomou à porta e começou a andar debaixo da chuvinha miúda. Era o cocheiro de novo. Claret. Esperei que o seu vulto se desvanecesse e segui o eco dos seus passos.

Capítulo 19

Seguindo o rasto de Claret, transformei-me numa sombra entre as sombras. A pobreza e a miséria daquele bairro podiam cheirar-se no ar. Claret avançava com grandes passadas por ruas onde eu nunca estivera. Não consegui situar-me até que o vi dobrar uma esquina e reconheci a Calle Conde del Asalto. Ao chegar às Ramblas, Claret virou à esquerda, rumo à Plaza Cataluña.

Alguns noctívagos transitavam pelo passeio. Os quiosques iluminados pareciam barcos varados. Ao chegar ao Liceo, Claret atravessou a rua. Parou em frente da porta do edifício onde viviam o doutor Shelley e a filha María. Antes de entrar, vi-o tirar um objecto brilhante de dentro da capa. O revólver.

A fachada do edifício era uma máscara de relevos e gárgulas que cuspiam rios de água barrenta. Uma espada de luz dourada emergia de uma janela no ângulo do edifício. O estúdio de Shelley. Imaginei o velho médico no seu cadeirão de inválido, incapaz de conciliar o sono. Corri para o pátio. A porta estava trancada por dentro. Claret fechara-a. Inspeccionei a fachada em busca de outra entrada. Dei a volta ao edifício. Na parte de trás, uma pequena escada de incêndio subia até uma cornija que rodeava o bloco. A cornija formava uma passarela de pedra até às varandas da fachada principal. Dali à praceta onde ficava o estúdio de Shelley havia só uns metros. Trepei pela escada até à cornija. Uma vez ali, estudei de novo a rota a seguir. Verifiquei que a cornija só tinha uns dois palmos de largura. Aos meus pés, a altura até à rua pareceu-me um abismo. Respirei fundo e dei o primeiro passo na cornija.

Colei-me à parede e avancei centímetro a centímetro. A superfície era escorregadia. Alguns dos blocos moviam-se sob os meus pés. Tive a sensação de que a cornija estreitava a cada passo. A parede nas minhas costas parecia inclinar-se para a frente. Estava salpicada de efígies de faunos. Introduzi os dedos na máscara demoníaca de um daqueles rostos esculpidos, com medo que as mandíbulas se fechassem e me cortassem os dedos. Utilizando-os como pegas, consegui alcançar a grade de ferro forjado que rodeava a galeria do estúdio de Shelley.

Consegui atingir a plataforma com grade em frente das janelas. Os vidros estavam embaciados. Encostei o rosto ao vidro e pude vislumbrar o interior. A janela não estava fechada por dentro. Empurrei delicadamente até a conseguir entreabrir. Uma baforada de ar quente, impregnado do cheiro a lenha queimada da lareira, bateu-me na cara. O médico ocupava o seu cadeirão em frente do fogo, como se nunca se tivesse movido dali. As portas do estúdio abriram-se nas suas costas. Claret. Chegara demasiado tarde.

– Atraiçoaste o teu juramento – ouvi Claret dizer.

Era a primeira vez que ouvia com clareza a sua voz. Grave, rouca. Como a de um jardineiro do internato, Daniel, a quem uma bala destruíra a laringe durante a guerra. Os médicos tinham-lhe reconstruído a garganta, mas o pobre homem demorou dez anos até voltar a falar. Quando o fazia, o som que brotava dos seus lábios era como a voz de Claret.

– Disseste que tinhas destruído o último frasco... – disse Claret, aproximando-se de Shelley.

O outro não se incomodou a voltar-se. Vi o revólver de Claret erguer-se e apontar ao médico.

– Estás enganado a meu respeito – disse Shelley.

Claret deu a volta ao ancião e estacou à sua frente. Shelley ergueu os olhos. Se tinha medo, não o demonstrava. Claret apontou-lhe à cabeça.

– Mentes. Devia matar-te agora mesmo… – disse Claret, arrastando cada sílaba como se lhe doesse.

Apoiou o cano da pistola entre os olhos de Shelley.

– Continua. Far-me-ás um favor – disse Shelley, sereno.

Engoli em seco. Claret travou o gatilho.

– Onde está?

– Aqui não está.

– Então onde?

– Tu sabes onde – replicou Shelley.

Ouvi Claret suspirar. Afastou a pistola e deixou cair o braço, desanimado.

– Estamos todos condenados – disse Shelley. – É só uma questão de tempo… Nunca entendeste isso e agora entendes menos do que nunca.

– A ti é que não entendo – disse Claret. – Irei para a morte com a consciência limpa.

Shelley riu amargo.

– A morte pouco se importa com as consciências, Claret.

– A mim importam.

De repente María Shelley apareceu na porta.

– Pai… está bem?

– Estou, María. Volta para a cama. É só o amigo Claret, que já se ia embora.

María hesitou. Claret observava-a fixamente e, por um instante, pareceu-me que havia algo de indefinido no jogo dos seus olhares.

– Faz o que te digo. Vai.

– Sim, pai.

María retirou-se. Shelley fixou de novo o olhar no fogo.

– Vela tu pela tua consciência. Eu tenho uma filha por quem velar. Vai para casa. Não podes fazer nada. Ninguém pode fazer nada. Já viste como Sentís acabou.

– Sentís acabou como merecia – sentenciou Claret.

– Não pensas ir ao encontro dele, pois não?

– Não abandono os amigos.

– Mas eles abandonaram-te a ti – disse Shelley.

Claret dirigiu-se para a saída, mas deteve-se ao ouvir o pedido de Shelley.

– Espera...

Aproximou-se de um armário que havia junto da secretária. Procurou um cordão que tinha ao pescoço e de onde pendia uma pequena chave. Com ela abriu o armário. Pegou em qualquer coisa do seu interior e estendeu-a a Claret.

– Pega – ordenou. – Não tenho coragem para as usar. Nem fé.

Forcei a vista, tentando distinguir o que estava a dar a Claret. Era um estojo; pareceu-me que continha umas cápsulas prateadas. Balas.

Claret aceitou-as e examinou-as com cuidado. Os seus olhos encontraram-se com os de Shelley.

– Obrigado – murmurou Claret.

Shelley negou em silêncio, como se não quisesse qualquer agradecimento. Vi como Claret esvaziava a câmara da sua arma e a preenchia com as balas que Shelley lhe fornecera. Enquanto o fazia, Shelley observava-o nervoso, esfregando as mãos.

– Não vás... – implorou Shelley.

O outro fechou a câmara e fez girar o tambor.

– Não tenho opção – respondeu, já no caminho para a saída.

Logo que o vi desaparecer, deslizei de novo pela cornija. A chuva abrandara. Apressei-me para não perder o rasto de Claret. Refiz os meus passos até à escada de incêndio, desci e dei a volta ao edifício apressadamente, mesmo a tempo de ver Claret a descer pelas Ramblas. Estuguei o passo e encurtei a distância. Não voltou para a Calle Fernando, em direcção à Plaza de San Jaime. Vislumbrei um telefone público entre os pórticos da Plaza Real. Sabia que tinha de telefonar ao inspector Florián quanto antes e explicar-lhe o que estava a acontecer, mas parar teria significado perder Claret.

Quando se internou no Barrio Gótico, fui atrás. Em breve a sua silhueta perdeu-se por baixo de pontes existentes entre palácios. Arcos impossíveis projectavam sombras dançantes sobre as paredes. Tínhamos chegado à Barcelona encantada, o labirinto dos espíritos, onde as ruas tinham nome de lenda e os duendes do tempo andavam atrás de nós.

Capítulo 20

Segui o rasto de Claret até uma rua oculta atrás da catedral. Uma loja de máscaras ocupava a esquina. Aproximei-me da montra e senti o olhar vazio dos rostos de papel. Inclinei-me para dar uma vista de olhos. Claret parara a uma vintena de metros, junto de um alçapão de descida aos esgotos. Fazia força com a pesada tampa de metal. Quando conseguiu que cedesse, desapareceu por aquele buraco. Só então me aproximei. Ouvi passos nos degraus de metal, a descer, e vi o reflexo de um raio de luz. Deslizei até à boca do alçapão e espreitei. Uma corrente de ar viciado subia daquele poço. Permaneci ali até que os passos de Claret se tornaram inaudíveis e as trevas devoraram a luz que ele levava.

Era o momento de telefonar ao inspector Florián. Distingui as luzes de uma taberna que fechava muito tarde ou abria muito cedo. O estabelecimento era uma cela que tresandava a vinho e ocupava a subcave de um edifício que não devia ter menos de trezentos anos. O taberneiro era um homem de tez avinagrada e olhos pequenos, que usava uma espécie de barrete militar. Ergueu as sobrancelhas e olhou-me aborrecido. Atrás dele, a parede estava decorada com galhardetes da Divisão Azul[1], postais do Valle de los Caídos e um retrato de Mussolini.

---

[1] Divisão Azul – unidade de voluntários espanhóis que lutaram, entre 1941 e 1943, no exército alemão nazi. (*N. da T.*)

– Fora – disse com brusquidão. – Só abrimos depois das cinco.

– Só quero telefonar. É uma emergência.

– Volta às cinco.

– Se pudesse voltar às cinco, não seria uma emergência... Por favor. É para ligar para a polícia.

O taberneiro estudou-me com cuidado e por fim apontou-me um telefone na parede.

– Espera que eu te dê linha. Tens com que pagar, não?

– Claro – menti.

O auscultador estava sujo e gorduroso. Junto do telefone havia um pratinho de vidro com caixinhas de fósforos em que estava impresso o nome do estabelecimento e uma águia imperial. Bodega Valor, diziam. Aproveitei o taberneiro estar de costas a ligar o contador e enchi os bolsos com as caixinhas de fósforos. Quando o taberneiro se voltou, sorri com uma santa inocência. Marquei o número que Florián me dera e ouvi o sinal de chamada diversas vezes, sem resposta. Começava a recear que o camarada ínsone do inspector tivesse adormecido com os noticiários da BBC quando alguém levantou o auscultador do outro lado da linha.

– Boa noite, desculpe incomodar a estas horas – disse eu. – Preciso de falar com urgência com o inspector Florián. É uma emergência. Ele deu-me este número para se fosse preciso...

– Quem fala?

– Óscar Drai.

– Óscar quê?

Tive de soletrar o meu apelido pacientemente.

– Um momento. Não sei se o Florián está em casa. Não vejo luz. Pode esperar?

Olhei para o dono do bar, que limpava copos a um ritmo marcial sob o galhardo olhar do *Duce*.

– Posso – disse com ousadia.

A espera tornou-se interminável. O taberneiro não deixava de olhar para mim como se eu fosse um criminoso em fuga. Experimentei sorrir-lhe. Não se alterou.

– Não me poderia servir um café com leite? – perguntei. – Estou gelado.

– Só depois das cinco.

– Pode dizer-me que horas são, por favor? – perguntei.

– Ainda falta para as cinco – replicou. – Tens a certeza de que telefonaste para a polícia?

– Para a Guarda Civil, para ser exacto – improvisei.

Por fim, ouvi a voz de Florián. Parecia acordado e atento.

– Óscar? Onde estás?

Contei-lhe o essencial tão rapidamente quanto pude. Quando lhe contei o que se passou no túnel, notei que ficara tenso.

– Ouve bem, Óscar. Quero que me esperes aí e não te movas até eu chegar. Apanho um táxi num segundo. Se acontecer alguma coisa, desata a correr. Não pares até chegares ao comissariado da Vía Layetana. Lá, perguntas por Mendoza. Ele conhece-me e é de confiança. Mas, aconteça o que acontecer, percebes?, aconteça o que acontecer, não desças a esses túneis. Está bem claro?

– Como água.

– Estou aí dentro de minutos.

Foi cortada a linha.

– São sessenta pesetas – sentenciou o taberneiro de imediato, nas minhas costas. – Tarifa nocturna.

– Pago-lhe às cinco, meu general – disse com calma.

Os papos que lhe pendiam por debaixo dos olhos coloriram-se de cor de Rioja.

– Olha, garotelho, que te parto a cara, hem? – ameaçou, furioso.

Desatei a correr a toda a velocidade antes que conseguisse sair de detrás do balcão com o cacete regulamentar antidistúrbios.

Esperaria por Florián junto da loja de máscaras. Não podia demorar muito, calculei.

Os sinos da catedral deram as quatro da madrugada. Os sintomas da fadiga começavam a rondar-me como lobos famintos. Pus-me a andar em círculos para combater o frio e o sono. Pouco depois ouvi uns passos sobre o empedrado da rua, voltei-me para receber Florián, mas a silhueta que vi não quadrava com a do velho polícia. Era uma mulher. Instintivamente escondi-me, receando que a dama de negro tivesse vindo ao meu encontro. A sombra recortou-se na rua e a mulher passou à minha frente sem me ver. Era María, a filha do doutor Shelley.

Aproximou-se da boca do túnel e inclinou-se a olhar para o abismo. Tinha na mão um frasco de vidro. O seu rosto brilhava sob a Lua, transfigurado. Sorria. Soube de imediato que qualquer coisa estava errada. Fora do lugar. Até me passou pela cabeça que estava sob qualquer tipo de transe e caminhara sonâmbula até ali. Era a única explicação que me ocorria. Preferia aquela absurda hipótese do que admitir outras alternativas. Pensei em aproximar-me dela, chamá-la pelo seu nome, qualquer coisa. Armei-me de coragem e dei um passo em frente. Logo que o fiz, María voltou-se com uma rapidez e uma agilidade felinas, como se farejasse a minha presença no ar. Os seus olhos brilharam no beco e a expressão que se desenhou no seu rosto gelou-me o sangue.

– Desaparece – murmurou com uma voz desconhecida.

– María? – articulei, desconcertado.

Um segundo depois, saltou para o interior do túnel. Corri até à borda, esperando ver o corpo de María Shelley destroçado. Um feixe de Lua passou fugazmente sobre o poço. O rosto de María brilhou no fundo.

– María – gritei. – Espere!

Desci as escadas tão rápido quanto pude. Um odor fétido e penetrante assaltou-me logo que percorri uns metros. A esfera de claridade na superfície foi diminuindo de tamanho. Procurei uma das caixinhas de fósforos e acendi um. A visão que me revelou era fantasmagórica.

Um túnel circular perdia-se na escuridão. Humidade e podridão. Guinchos de ratazanas. E o eco infinito do labirinto de túneis por debaixo da cidade. Na parede, uma inscrição coberta de sujidade rezava:

SGAB/ 1881

COLECTOR SECTOR IV / NÍVEL 2 – TROÇO 66

Do outro lado do túnel, a parede tinha caído. O subsolo invadira parte do colector. Podiam ver-se diferentes restos de antigos níveis da cidade, empilhados uns sobre os outros.

Contemplei os cadáveres de velhas Barcelonas sobre as quais se erguia a nova cidade. O palco onde Sentís encontrara a morte. Acendi outro fósforo. Reprimi as náuseas que me subiam à garganta e avancei uns metros na direcção das pegadas.

– María?

A minha voz transformou-se num eco espectral cujo efeito me gelou o sangue; decidi fechar a boca. Observei dezenas de diminutos pontos vermelhos que se moviam como insectos sobre um pântano. Ratazanas. A chama dos fósforos que não parava de acender mantinha-a a uma prudente distância.

Hesitava entre continuar a avançar mais ou não, quando ouvi uma voz distante. Olhei pela última vez para a entrada da rua. Nem rasto de Florián. Ouvi de novo aquela voz. Suspirei e rumei às trevas.

O túnel por onde avançava fez-me pensar no tracto intestinal de um animal. O solo estava coberto por um riacho de águas fecais.

Avancei sem ter outra claridade a não ser a que provinha dos fósforos. Acendia um no outro, sem deixar que a escuridão me envolvesse por completo. À medida que penetrava no labirinto, o meu olfacto foi-se habituando ao cheiro dos esgotos. Notei também que a temperatura ia aumentando. Uma humidade pegajosa aderia à pele, à roupa e ao cabelo.

Uns metros mais adiante, brilhando sobre as paredes, distingui uma cruz pintada de forma grosseira a vermelho. Outras cruzes semelhantes marcavam as paredes. Pareceu-me ver qualquer coisa brilhar no chão. Ajoelhei-me para examinar e verifiquei que se tratava de uma fotografia. Reconheci de imediato a imagem. Era um dos retratos do álbum que tínhamos encontrado na estufa. Havia mais fotografias no chão. Todas eram provenientes do mesmo sítio. Algumas estavam rasgadas. Vinte passos mais adiante encontrei o álbum, praticamente esfrangalhado. Peguei-lhe e passei as folhas vazias. Parecia que alguém estivera a procurar qualquer coisa e, não encontrando, o rasgara com raiva.

Estava numa encruzilhada, uma espécie de câmara de distribuição ou convergência de condutas. Ergui os olhos e vi que a boca de outro corredor se abria exactamente por cima do ponto onde me encontrava. Pareceu-me identificar uma grade. Levantei o fósforo até lá, mas uma lufada de ar pantanoso exalada por um dos colectores apagou a chama. Nesse momento, ouvi qualquer coisa deslocar-se, devagar, roçando as paredes, gelatinosa. Senti um calafrio na nuca. Procurei outro fósforo e tentei acendê-lo às cegas, mas a chama não surgia. Desta vez tinha a certeza: algo se movia nos túneis, algo vivo que não eram ratazanas. Notei que sufocava. A pestilência do lugar agrediu-me com brutalidade as fossas nasais. Um fósforo acendeu-se finalmente nas minhas mãos. A princípio, a chama cegou-me. Depois vi qualquer coisa a rastejar na minha direcção. De todos os túneis. Umas figuras indefinidas arrastavam-se como aranhas pelas condutas. O fósforo caiu-me dos dedos trémulos. Quis começar a correr, mas tinha os músculos paralisados.

De repente, um raio de luz rasgou as sombras, dando uma visão fugaz do que me pareceu um braço estendendo-se para mim.

– Óscar!

O inspector Florián corria na minha direcção. Numa mão segurava uma lanterna. Na outra, um revólver. Florián alcançou-me e varreu todos os cantos com o feixe de luz da lanterna. Ambos ouvimos o som arrepiante daquelas criaturas retirando-se, fugindo da luz. Florián segurava a pistola ao alto.

– O que era aquilo?

Quis responder, mas faltou-me a voz.

– E que raio fazes aqui em baixo?

– María… – articulei.

– O quê?

– Enquanto estava à sua espera, vi María Shelley lançar-se nos esgotos e…

– A filha de Shelley? – perguntou Florián, desconcertado. – Aqui?

– Sim.

– E Claret?

– Não sei. Segui o rasto de pegadas até aqui…

Florián inspeccionou as paredes que nos rodeavam. Uma comporta de ferro coberta de ferrugem ficava num extremo da galeria. Franziu o sobrolho e aproximou-se devagar dela. Colei-me a ele.

– São estes os túneis onde encontraram o Sentís?

Florián assentiu em silêncio, apontando para o outro extremo do túnel.

– Esta rede de colectores estende-se até ao antigo mercado do Borne. Sentís foi lá encontrado, mas havia sinais de que o corpo fora arrastado.

– É ali que fica a velha fábrica da Velo-Granell, não é?

Florián assentiu de novo.

– Julga que alguém está a utilizar estas passagens subterrâneas para se deslocar por debaixo da cidade, desde a fábrica até...?

– Toma, segura a lanterna – cortou Florián. – E isto.

«Isto» era o revólver. Peguei-lhe enquanto ele forçava a comporta de ferro. A arma pesava mais do que eu pensara. Coloquei o dedo no gatilho e contemplei-a à luz. Florián lançou-me um olhar assassino.

– Não é um brinquedo, cuidado. Faz-te de parvo e uma bala rebenta-te a cabeça como se fosse uma melancia.

A comporta cedeu. O fedor que se escapou do interior era indescritível. Demos uns passos atrás, combatendo a náusea.

– Que diabo há ali dentro? – bradou Florián.

Puxou de um lenço e cobriu com ele a boca e o nariz. Estendi-lhe a arma e segurei na lanterna. Florián empurrou a comporta com um pontapé. Dirigi a luz para o interior. A atmosfera era tão espessa que quase não se distinguia nada. Florián armou o percutor e avançou para o umbral.

– Fica aqui – ordenou-me.

Ignorei as suas palavras e avancei até à entrada da câmara.

– Santo Deus!... – ouvi Florián exclamar.

Senti que me faltava o ar. Era impossível aceitar a visão que se oferecia aos nossos olhos. Envoltos nas trevas, pendendo de ganchos ferrugentos, havia dúzias de corpos inertes, incompletos. Sobre duas grandes mesas espalhavam-se num completo caos umas estranhas ferramentas: peças de metal, engrenagens e mecanismos construídos em madeira e aço. Havia uma colecção de frascos numa vitrina de vidro, um conjunto de seringas hipodérmicas e uma parede cheia de instrumentos cirúrgicos sujos, enegrecidos.

– O que é isto? – murmurou Florián, tenso.

Uma figura de madeira e pele, de metal e osso, jazia sobre uma das mesas como um macabro brinquedo inacabado. Representava uma criança com olhos redondos de réptil; uma língua bífida assomava entre os lábios negros. Sobre a testa, marcado a fogo, podia ver-se claramente o símbolo da borboleta.

– É a oficina dele… É aqui que os cria… – escapou-me em voz alta.

E então os olhos daquele boneco infernal moveram-se. Voltou a cabeça. As suas entranhas produziam o som de um relógio ao acertar-se. Senti as suas pupilas de serpente pousar nas minhas. A língua bífida lambeu os lábios. Estava a sorrir para nós.

– Saiamos daqui – disse Florián. – Agora mesmo!

Regressámos à galeria e fechámos a comporta atrás de nós. Florián respirava entrecortadamente. Eu nem sequer conseguia falar. Tirou-me a lanterna das mãos trémulas e inspeccionou o túnel. Enquanto o fazia, pude ver uma gota atravessar o feixe de luz. E outra. E mais outra. Gotas brilhantes de cor escarlate. Sangue. Olhámo-nos em silêncio. Algo estava a gotejar do tecto. Florián fez-me sinal com um gesto para que recuasse uns passos e dirigiu o feixe de luz para cima. Vi como o rosto de Florián empalidecia e a sua mão firme começava a tremer.

– Corre – foi a única coisa que me disse. – Vai-te embora daqui!

Levantou o revólver depois de me lançar um último olhar. Li nele primeiro terror e depois a estranha certeza da morte. Entreabriu os lábios para dizer mais qualquer coisa, mas nunca chegou a brotar qualquer som da sua boca. Uma figura escura precipitou-se sobre ele e bateu-lhe antes que pudesse mover um músculo. Soou um tiro, um estrondo ensurdecedor ressaltando contra as paredes. A lanterna foi parar a uma corrente de água. O corpo de Florián saiu projectado contra a parede com tal força que abriu uma brecha em forma de cruz nos azulejos enegrecidos. Tive a certeza de que estava morto antes que se desprendesse da parede e caísse no chão, inerte.

Desatei a correr, procurando desesperado o caminho de volta. Um uivo animal inundou os túneis. Voltei-me. Uma dúzia de figuras reptava de todos os lados. Corri como nunca correra na vida, ouvindo a matilha invisível uivar nas minhas costas, tropeçando. A imagem do corpo de Florián incrustado na parede continuava cravada na minha mente.

Estava perto da saída quando um vulto saltou à minha frente, apenas uns metros adiante, impedindo-me de alcançar as escadas para subir. Estaquei. A luz que se filtrava mostrou-me o rosto de um arlequim. Dois losangos negros cobriam-lhe os olhos de vidro e uns lábios de madeira polida mostravam caninos de aço. Dei um passo atrás. Duas mãos pousaram nos meus ombros. Umas unhas rasgaram-me a roupa. Algo me rodeou o pescoço. Era viscoso e frio. Senti o nó apertar-se, cortando-me a respiração. A minha visão começou a enevoar-se. Algo me agarrou os tornozelos. À minha frente, o arlequim ajoelhou-se e estendeu as mãos para a minha cara. Julguei que ia desmaiar. Rezei para que assim fosse. Um segundo mais tarde aquela cabeça de madeira, pele e metal estourou em pedaços.

O tiro era proveniente da minha direita. O estrondo cravou-se-me nos tímpanos e o cheiro a pólvora impregnou o ar. O arlequim desmoronou-se aos meus pés. Houve um segundo tiro. A pressão sobre a minha garganta desapareceu e caí de bruços. Apenas sentia o cheiro intenso da pólvora. Notei que alguém puxava por mim. Abri os olhos e consegui ver como um homem se inclinava sobre mim e me levantava.

Vi de imediato a claridade do dia e os meus pulmões encheram-se de ar puro. Depois desmaiei. Lembro-me de ter sonhado com cascos de cavalos ressoando enquanto uns sinos repicavam sem cessar.

Capítulo 21

O quarto em que acordei pareceu-me familiar. As janelas estavam fechadas e pelas persianas filtrava-se uma claridade diáfana. A meu lado erguia-se um vulto, observando-me em silêncio. Marina.

– Bem-vindo ao mundo dos vivos.

Ergui-me bruscamente. A visão turvou-se de imediato e senti lascas de gelo a espetar-me o cérebro. Marina amparou-me enquanto a dor se ia desvanecendo devagar.

– Calma – sussurrou.

– Como cheguei aqui…?

– Alguém te trouxe ao amanhecer. Numa carruagem. Não disse quem era.

– Claret… – murmurei, ao mesmo tempo que as peças começavam a encaixar-se na minha cabeça.

Fora Claret que me tirara dos túneis e que me trouxera de novo para o casarão de Sarriá. Compreendi que lhe devia a vida.

– Pregaste-me um susto de morte. Onde estiveste? Passei toda a noite à tua espera. Não voltes a fazer-me uma coisa assim, estás a ouvir?

Doía-me todo o corpo, inclusive mexer a cabeça para assentir. Estendi-me de novo. Marina chegou-me um copo de água fresca aos lábios. Bebi-o de um trago.

– Queres mais, não é verdade?

Fechei os olhos e ouvi-a encher outra vez o copo.

– E Germán? – perguntei.

– No seu estúdio. Estava preocupado contigo. Disse-lhe que qualquer coisa te caíra mal.

– E acreditou?

– O meu pai acredita em tudo o que eu lhe digo – replicou Marina, sem malícia.

Estendeu-me o copo de água.

– O que faz tantas horas no estúdio, se já não pinta?

Marina agarrou-me no pulso e verificou a pulsação.

– O meu pai é um artista – disse depois. – Os artistas vivem no futuro ou no passado; nunca no presente. Germán vive de recordações. É tudo o que tem.

– Tem-te a ti.

– Eu sou a maior das suas recordações – disse, olhando-me nos olhos. – Trouxe-te qualquer coisa para comeres. Tens de recuperar forças.

Neguei com a mão. A simples ideia de comer provocava-me náuseas. Marina pôs-me uma mão na nuca e amparou-me enquanto eu bebia outra vez. A água fria, límpida, sabia-me a uma bênção.

– Que horas são?

– Meio da tarde. Dormiste quase oito horas.

Pousou-me a mão na testa e deixou-a lá uns segundos.

– Pelo menos já não tens febre.

Abri os olhos e sorri. Marina observava-me séria, pálida.

– Deliravas. Falavas em sonhos...

– O que dizia?

– Disparates.

Levei os dedos à garganta. Sentia-a dorida.

– Não toques – disse Marina, afastando-me a mão. – Tens uma rica ferida no pescoço. E cortes nos ombros e nas costas. Quem te fez isso?

– Não sei...

Marina suspirou, impaciente.

– Estava morta de medo por tua causa. Não sabia o que havia de fazer. Fui a uma cabina para telefonar a Florián, mas disseram-me no bar que tu acabaras de lhe telefonar e que o inspector saíra sem dizer para onde ia. Voltei a telefonar pouco antes do amanhecer e ainda não voltara...

– Florián está morto. – Notei que a voz me falhava ao pronunciar o nome do pobre inspector. – Ontem à noite voltei ao cemitério outra vez – comecei.

– Estás louco – interrompeu-me Marina.

Provavelmente tinha razão. Sem dizer nada, estendeu-me um terceiro copo de água. Bebi-o até à última gota. Depois, devagar, expliquei-lhe o que acontecera na noite anterior. Ao acabar a minha narração, Marina limitou-se a olhar-me em silêncio. Pareceu-me que a preocupava mais alguma coisa, uma coisa que não tinha nada a ver com tudo o que lhe explicara. Insistiu para que comesse o que me trouxera, com fome ou sem fome. Ofereceu-me pão com chocolate e não tirou os olhos de cima de mim enquanto não dei mostras de engolir quase meia tablete e um pãozinho do «tamanho de um camião». A chicotada de açúcar no sangue não se fez esperar e senti-me logo reviver.

– Enquanto dormias eu também estive a brincar aos detectives – disse Marina, apontando sobre a mesa-de-cabeceira um grosso volume encadernado em pele.

Li o título na lombada.

– Interessa-te a entomologia?

– Bichos – esclareceu Marina. – Encontrei a nossa amiga borboleta negra.

– *Teufel*...

– Uma criatura adorável. Vive em túneis e caves, longe da luz. Tem um ciclo de vida de catorze dias. Antes de morrer, enterra o corpo no entulho e, passados três dias, nasce uma nova larva.

– Ressuscita?

– Poderíamos chamar-lhe assim.

– E de que se alimenta? – perguntei. – Nos túneis não há flores, nem pólen...

– Come as crias – informou Marina. – Está tudo aí. Vidas exemplares dos nossos primos insectos.

Marina aproximou-se da janela e abriu as cortinas. O sol invadiu o quarto. Mas ela ficou ali, pensativa. Quase podia ouvir girar as engrenagens do seu cérebro.

– Que sentido teria atacar-te para recuperar o álbum de fotografias e depois abandoná-las?

– É provável que quem me atacou procurasse algo que havia nesse álbum.

– Mas, fosse o que fosse, já lá não estava... – completou Marina.

– O doutor Shelley... – disse, lembrando-me de súbito.

Marina olhou-me, sem compreender.

– Quando o fomos ver, mostrámos-lhe a fotografia em que ele aparecia no seu consultório – disse.

– E ficou com ela!...

– Não apenas isso. Quando íamos embora, vi-o lançá-la ao fogo.

– Por que destruiria Shelley essa fotografia?

– Talvez mostrasse qualquer coisa que não queria que ninguém visse... – afirmei, saltando da cama.

– Onde julgas que vais?

– Procurar Luis Claret – repliquei. – É quem conhece a chave de todo este assunto.

– Não sais desta casa durante vinte e quatro horas – objectou Marina, encostando-se à porta. – O inspector Florián deu a vida para que tivesses a oportunidade de fugir.

– Em vinte e quatro horas, aquilo que se esconde naqueles túneis terá vindo procurar-nos se não fizermos nada para o deter – disse. – O mínimo que Florián merece é que lhe façamos justiça.

– Shelley disse que a morte pouco se importa com a justiça – recordou-me Marina. – Talvez tivesse razão.

– Talvez – admiti. – Mas a nós importa.

Quando chegámos aos limites do Raval, a neblina inundava os becos, colorida pelas luzes de tugúrios e tascas nojentas. Tínhamos deixado para trás o amigável bulício das Ramblas e penetrávamos no poço mais miserável de toda a cidade. Não havia rasto de turistas ou curiosos. De becos malcheirosos e janelas abertas em fachadas que se desfaziam como argila, seguiam-nos olhares furtivos. O eco de televisores e rádios elevava-se por entre o clamor da pobreza, sem nunca chegar a ultrapassar os telhados. A voz do Raval nunca chega ao céu.

Pouco depois, por entre os restos de edifícios cobertos por décadas de sujidade, adivinhou-se o vulto escuro e monumental das ruínas do Gran Teatro Real. No extremo, como um cata-vento, recortava-se a silhueta de uma borboleta de asas negras. Parámos a contemplar aquela visão fantástica. O edifício mais delirante erigido em Barcelona decompunha-se como um cadáver num pântano.

Marina apontou para as janelas iluminadas no terceiro andar do anexo do teatro. Reconheci a entrada das cavalariças. Aquela era a casa de Claret. Dirigimo-nos para a entrada. O interior da escadaria ainda estava encharcado pelo aguaceiro da noite anterior. Começámos a subir os degraus gastos e escuros.

– E se não nos quiser receber? – perguntou-me Marina, preocupada.

– Provavelmente está à nossa espera – ocorreu-me.

Ao chegar ao segundo andar notei que Marina respirava ofegante e com dificuldade. Parei e vi que o seu rosto empalidecia.

– Estás bem?

– Um pouco cansada – respondeu com um sorriso que não me convenceu. – Andas demasiado depressa para mim.

Agarrei-a pela mão e levei-a até ao terceiro andar, degrau a degrau. Parámos em frente da porta de Claret. Marina respirou profundamente. Tremia-lhe o peito ao fazê-lo.

– Estou bem, a sério – disse, adivinhando os meus receios. – Anda, bate. Não me trouxeste até aqui para visitar a vizinhança, espero.

Bati na porta com os nós dos dedos. Era madeira velha, sólida e grossa como uma parede. Bati outra vez. Passos lentos aproximaram-se do umbral. A porta abriu-se e Luis Claret, o homem que me salvara a vida, recebeu-nos.

– Entrem – limitou-se a dizer, voltando-se para o interior da casa.

Fechámos a porta atrás de nós. A casa era escura e fria. A pintura pendia do tecto como a pele de um réptil. Candeeiros sem lâmpadas criavam teias de aranha. O mosaico de azulejos sob os nossos pés estava partido.

– Por aqui – chegou a voz de Claret do fundo do apartamento.

Seguimos o seu rasto até uma sala apenas iluminada por uma lareira. Claret encontrava-se sentado em frente das brasas acesas, olhando-as em silêncio. As paredes estavam cobertas de velhos retratos, pessoas e rostos de outras épocas. Claret ergueu o olhar para nós. Tinha os olhos claros e penetrantes, o cabelo prateado e a pele enrugada. Dezenas de linhas marcavam o tempo no seu rosto, mas apesar da sua avançada idade emanava um ar de força que muitos homens trinta anos mais novos teriam querido para si. Um galã de *vaudeville* envelhecido ao sol, com dignidade e estilo.

– Não tive oportunidade de lhe agradecer. Por me ter salvo a vida.

– Não é a mim que tens de agradecer. Como me encontraram?

– O inspector Florián falou-nos de si – adiantou-se Marina. – Explicou-nos que o senhor e o doutor Shelley foram as duas únicas pessoas que estiveram com Mikhail Kolvenick e Eva Irinova até ao último momento. Disse que o senhor nunca os abandonou. Como conheceu Mikhail Kolvenick?

Um débil sorriso aflorou os lábios de Claret.

– O senhor Kolvenick chegou a esta cidade com uma das piores geadas do século – explicou. – Só, esfomeado e acossado pelo frio, procurou refúgio no saguão de um antigo edifício para passar a noite. Tinha apenas umas moedas com que poderia comprar talvez um bocado de pão ou café quente. Nada mais. Enquanto pensava no que tinha de fazer, descobriu que havia mais alguém naquele saguão. Um miúdo de cerca de cinco anos, embrulhado em farrapos, um mendigo que correra a refugiar-se ali tal como ele. Kolvenick e o garoto não falavam a mesma língua, de maneira que se entendiam com dificuldade. Mas Kolvenick sorriu e deu-lhe o seu dinheiro, indicando-lhe com gestos que o usasse para comprar comida. O pequeno, sem poder acreditar no que estava a acontecer, correu a comprar um grande pão redondo de mistura numa padaria que estava aberta toda a noite perto da Plaza Real. Voltou ao saguão para partilhar o pão com o desconhecido, mas viu a polícia levá-lo. No calabouço, os companheiros de cela deram-lhe uma sova brutal. Durante todos os dias que Kolvenick esteve no hospital da cadeia, o garoto esperou à porta, como um cão sem dono. Quando Kolvenick saiu, duas semanas depois, coxeava. O miúdo estava ali para o apoiar. Transformou-se no seu guia e jurou a si mesmo que nunca abandonaria aquele homem que, na pior noite da sua vida, lhe dera tudo o que tinha no mundo... Aquele garoto era eu.

Claret levantou-se e fez-nos sinal de que o seguíssemos por um estreito corredor que ia dar a uma porta. Puxou de uma chave e abriu-a. Do outro lado, havia outra porta idêntica e, entre elas, um pequeno aposento.

Para atenuar a obscuridade que ali reinava, Claret acendeu uma vela. Com outra chave, abriu a segunda porta. Uma corrente de ar inundou o corredor e fez assobiar a chama da vela. Senti que Marina me agarrava a mão quando passámos para o outro lado. Uma vez lá, parámos. A visão que se abria diante de nós era fabulosa. O interior do Gran Teatro Real.

Diversos níveis se sobrepunham até à grande cúpula. Cortinados de veludo pendiam dos camarotes, ondulando no vácuo. Grandes candelabros de vidro esperavam sobre a plateia, infinita e deserta, uma ligação eléctrica que nunca chegou. Encontrávamo-nos numa entrada lateral do palco. Por cima de nós, a cortina subia até ao infinito, um universo de telões, andaimes, roldanas e passarelas que se perdia nas alturas.

– Por aqui – indicou Claret, guiando-nos.

Atravessámos o palco. Alguns instrumentos dormiam no fosso da orquestra. No estrado do maestro, uma partitura coberta por teias de aranha jazia aberta na primeira página. Mais à frente, a grande passadeira do corredor central da plateia desenhava uma estrada para nenhures. Claret avançou até uma porta iluminada e indicou-nos que parássemos à entrada. Marina e eu trocámos um olhar.

A porta dava para um camarim. Centenas de vestidos deslumbrantes pendiam de suportes metálicos. Uma parede estava coberta por espelhos com luzes da ribalta. A outra estava ocupada por dezenas de velhos retratos que mostravam uma mulher de indescritível beleza. Eva Irinova, a feiticeira dos palcos. A mulher para quem Mikhail Kolvenick mandara construir aquele santuário. Foi então que a vi. A dama de negro contemplava-se em silêncio, o rosto velado em frente do espelho. Ao ouvir os nossos passos, voltou-se lentamente e assentiu. Só então Claret nos permitiu entrar. Aproximámo-nos como quem se aproxima de uma aparição, com um misto de receio e fascinação. Parámos a poucos metros. Claret permanecia no umbral da porta, vigilante. A mulher voltou-se de novo para o espelho, estudando a sua imagem.

A seguir, com infinita delicadeza, ergueu o véu. As poucas lâmpadas que funcionavam revelaram-nos o seu rosto no espelho, ou o que o ácido deixara dele. Osso nu e pele morta. Lábios sem forma, apenas um corte sobre umas feições imprecisas. Olhos que não poderiam voltar a chorar. Deixou-nos contemplar durante um instante interminável o horror que por norma o véu ocultava. Depois, com a mesma delicadeza com que descobrira o rosto e a identidade, ocultou-o de novo e indicou que nos sentássemos. Decorreu um longo silêncio.

Eva Irinova estendeu uma mão para o rosto de Marina e acariciou-o, percorrendo-lhe as faces, os lábios, a garganta. Lendo a sua beleza e perfeição com dedos trémulos e anelantes. Marina engoliu em seco. A dama retirou a mão e pude ver os seus olhos sem pálpebras brilhar através do véu. Só então começou a falar e a contar-nos a história que ocultara durante mais de trinta anos.

Capítulo 22

«Nunca cheguei a conhecer o meu país senão em fotografias. O que sei da Rússia vem de histórias, conversas e recordações de outras pessoas. Nasci numa barcaça que atravessava o Reno, numa Europa destroçada pela guerra e o terror. Soube anos mais tarde que a minha mãe já me tinha no ventre quando, sozinha e doente, atravessou a fronteira russo-polaca fugindo da revolução. Morreu ao dar-me à luz. Nunca soube qual era o seu nome nem quem foi o meu pai. Enterraram-na na margem do rio numa sepultura sem qualquer indicação, perdida para sempre. Um par de comediantes de Sampetersburgo que viajava na barcaça, Serguei Glazunov e a irmã gémea Tatiana, tomaram conta de mim por compaixão e porque, segundo me disse Serguei muitos anos depois, nasci com um olho de cada cor e isso é sinal de sorte.

Em Varsóvia, graças às artes e manobras de Serguei, juntámo-nos a uma companhia circense que se dirigia para Viena. As minhas primeiras recordações são daquelas pessoas e dos seus animais. O toldo de um circo, os malabaristas e um faquir surdo-mudo chamado Vladimir, que comia vidro, cuspia fogo e me oferecia sempre pássaros de papel que fazia como por arte de magia. Serguei acabou por transformar-se no administrador da companhia e instalámo-nos em Viena. O circo foi a minha escola e o lar onde cresci. Já nessa altura sabíamos, no entanto, que estava condenado. A realidade do mundo começava a ser mais grotesca do que as pantomimas dos palhaços e os ursos dançarinos. Em breve ninguém precisaria de nós. O século XX transformara-se no grande circo da história.

Quando tinha apenas sete ou oito anos, Serguei disse que já era altura de eu ganhar o meu sustento. Passei a fazer parte do espectáculo, primeiro como mascote dos truques de Vladimir e mais tarde com um número próprio, em que cantava uma canção de embalar a um urso que acabava por adormecer. O número, que no princípio estava previsto como curinga para dar tempo à preparação dos trapezistas, acabou por ser um êxito. A ninguém surpreendeu mais do que a mim própria. Serguei decidiu aumentar a minha actuação. Foi assim que acabei a cantar canções a uns velhos leões famélicos e doentes a partir de uma plataforma de luzes. Os animais e o público ouviam-me, hipnotizados. Em Viena falava-se da menina cuja voz amansava as feras. E pagavam para a ver. Eu tinha nove anos.

Serguei não demorou a compreender que já não precisava do circo. A menina dos olhos de duas cores cumprira a sua promessa de sorte. Formalizou os trâmites para se transformar no meu tutor legal e anunciou ao resto da companhia que nos íamos instalar por conta própria. Aludiu ao facto de um circo não ser o lugar apropriado para criar uma menina. Quando se descobriu que alguém andara a roubar parte da cobrança do circo durante anos, Serguei e Tatiana acusaram Vladimir, acrescentando além disso que tomava liberdades ilícitas comigo. Vladimir foi preso pelas autoridades e encarcerado, embora nunca tenha sido encontrado o dinheiro.

Para celebrar a sua independência, Serguei comprou um carro de luxo, roupas de dândi e jóias para Tatiana. Mudámo-nos para uma vivenda que Serguei alugara nos bosques de Viena. Nunca ficou claro de onde saíram os fundos para pagar tanto luxo. Eu cantava todas as tardes e noites num teatro próximo da Ópera, num espectáculo intitulado *O Anjo de Moscovo*. Fui baptizada como Eva Irinova, uma ideia de Tatiana, que tirara o nome de um folhetim em fascículos que era publicado na imprensa com certo êxito. Aquela foi a primeira de muitas outras montagens semelhantes. Por sugestão de Tatiana, contrataram-me um professor de canto, um de arte dramática e outro de dança. Quando não estava num palco, estava a ensaiar. Serguei não me permitia ter amigos, ir passear, estar sozinha, nem ler livros. "É para o teu bem", costumava dizer. Quando o meu corpo se começou a desenvolver, Tatiana insistiu que eu devia ter um quarto só para mim. Serguei concordou de má vontade, mas insistiu em conservar a chave. Com frequência voltava para casa bêbedo à meia-noite e tratava de entrar no meu quarto. A maior parte das vezes estava tão ébrio que era incapaz de meter a chave na fechadura. Outras não. O aplauso de um público anónimo foi a única satisfação que consegui naqueles anos. Com o tempo, cheguei a necessitar mais dele do que do ar.

Viajávamos com frequência. O meu êxito em Viena chegara aos ouvidos dos empresários de Paris, Milão e Madrid. Serguei e Tatiana acompanhavam-me sempre. É evidente que nunca vi um cêntimo dos lucros de todos aqueles concertos, nem sei o que foi feito com o dinheiro. Serguei tinha sempre dívidas e credores. A culpa, acusava-me amargamente, era minha. Gastava tudo a cuidar de mim e a manter-me. Em troca, eu era incapaz de agradecer tudo o que ele e Tatiana fizeram por mim. Serguei ensinou-me a ver em mim uma garota suja, preguiçosa, ignorante e estúpida. Uma pobre infeliz que nunca chegaria a fazer nada de importante, a quem ninguém chegaria a amar ou respeitar. Mas nada disso importava porque, sussurrava-me Serguei ao ouvido com o seu hálito de aguardente, Tatiana e ele estariam sempre ali para tratar de mim e para me proteger do mundo.

No dia em que fiz dezasseis anos descobri que me odiava a mim própria e mal podia tolerar a minha imagem no espelho. Deixei de comer. O meu corpo repugnava-me e procurava escondê-lo por baixo de roupas sujas e esfarrapadas. Um dia encontrei no lixo uma velha navalha de barbear de Serguei. Levei-a para o meu quarto e adquiri o hábito de fazer cortes nas mãos e nos braços com ela. Para me castigar. Tatiana fazia o curativo em silêncio todas as noites.

Dois anos mais tarde, em Veneza, um conde que me vira actuar propôs-me casamento. Naquela mesma noite, ao saber, Serguei deu-me uma sova brutal. Abriu-me os lábios à pancada e partiu-me duas costelas. Tatiana e a polícia controlaram-no. Abandonei Veneza numa ambulância. Voltámos para Viena, mas os problemas financeiros de Serguei eram prementes. Recebíamos ameaças. Uma noite, uns desconhecidos pegaram fogo à casa enquanto dormíamos. Semanas antes, Serguei recebera uma oferta de um empresário de Madrid para quem eu actuara com êxito tempos antes. Daniel Mestres, assim se chamava, adquirira uma quota maioritária no velho Teatro Real de Barcelona e queria estrear a temporada comigo. Assim, praticamente fugindo de madrugada, fizemos as malas e partimos rumo a Barcelona, aceitando o contrato. Eu ia completar dezanove anos e rogava ao céu não chegar a fazer os vinte. Já há algum tempo que pensava em acabar com a vida. Nada me prendia a este mundo. Estava morta há muito tempo, mas só agora me apercebia. Foi então que conheci Mikhail Kolvenick...

Estávamos há algumas semanas no Teatro Real. Murmurava-se na companhia que um certo cavalheiro vinha todas as noites para o mesmo camarote a fim de me ouvir cantar. Naquela época circulavam em Barcelona todo o tipo de histórias acerca de Mikhail Kolvenick. Como fizera a sua fortuna... A sua vida pessoal e a sua identidade, cheia de mistérios e enigmas... A sua lenda precedia-o. Uma noite, intrigada por aquela estranha personagem, decidi fazer-lhe chegar um convite para que me visitasse no meu camarim depois do espectáculo. Era quase meia-noite quando Mikhail Kolvenick bateu à minha porta. Tanta bisbilhotice fizera-me esperar um tipo ameaçador e arrogante. A minha primeira impressão, no entanto, foi que se tratava de um homem tímido e reservado. Vestia de escuro, com simplicidade e sem outro adorno além de um pequeno alfinete que usava na lapela: uma borboleta com as asas abertas. Agradeceu-me o convite e manifestou-me a sua admiração, afirmando que era uma honra conhecer-me. Disse-lhe que, considerando tudo o que ouvira a seu respeito, a honra era minha. Sorriu e sugeriu-me que esquecesse os boatos. Mikhail tinha o sorriso mais belo que jamais conheci. Quando o exibia, podíamos acreditar fosse no que fosse que saísse dos seus lábios. Alguém disse uma vez que, se assim o decidisse, Mikhail era capaz de convencer Cristóvão Colombo de que a Terra era plana como um mapa; e tinha razão. Naquela noite convenceu-me a que o acompanhasse num passeio pelas ruas de Barcelona. Explicou-me que com frequência costumava percorrer a cidade adormecida depois da meia-noite. Eu, que mal saíra daquele teatro desde que tínhamos chegado a Barcelona, concordei. Sabia que Serguei e Tatiana iam ficar furiosos ao saber daquilo, mas pouco me importava. Saímos incógnitos pela porta do proscénio. Mikhail ofereceu-me o braço e andámos até ao amanhecer. Mostrou-me a cidade feiticeira através dos seus olhos. Falou-me dos seus mistérios, dos seus recantos encantados e do espírito que vivia naquelas ruas. Contou-me mil e uma lendas. Percorremos os caminhos secretos do Barrio Gótico e a cidade velha. Mikhail parecia saber tudo. Sabia quem vivera em cada um dos edifícios, que crimes ou romances se desenrolaram por detrás de cada parede e janela. Conhecia os nomes de todos os arquitectos, os artesãos e os mil nomes invisíveis que construíram aquele cenário. Enquanto me falava, tive a impressão que Mikhail nunca partilhara aquelas histórias com ninguém. Angustiou-me a solidão que se desprendia dele e, ao mesmo tempo, julguei ver no seu íntimo um abismo infinito, onde não podia evitar debruçar-me. A madrugada surpreendeu-nos num banco do porto. Observei aquele desconhecido com quem andara a percorrer as ruas durante horas e pareceu-me que o conhecia desde sempre. Disse-lho. Riu e naquele momento, com aquela estranha certeza que só se tem uma ou duas vezes na vida, soube que ia passar o resto da minha vida a seu lado.

Naquela noite, Mikhail contou-me que a vida concede a cada um de nós raros momentos de pura felicidade. Às vezes são apenas dias ou semanas. Às vezes, anos. Tudo depende do nosso destino. A recordação desses momentos acompanha-nos para sempre e transforma-se num país da memória a que procuramos regressar durante o resto da nossa vida sem o conseguir. Para mim, esses instantes estarão sempre enterrados naquela primeira noite, passeando pela cidade…

A reacção de Serguei e Tatiana não se fez esperar. Em especial a de Serguei. Proibiu-me de tornar a ver Mikhail ou falar com ele. Disse-me que, se voltasse a sair daquele teatro sem a sua autorização, me mataria. Pela primeira vez na minha vida descobri que já não me inspirava medo, apenas desprezo. Para o enfurecer ainda mais, disse-lhe que Mikhail me propusera casamento e que eu aceitara. Recordou-me que era o meu tutor legal e não só não ia autorizar o casamento como partíamos para Lisboa. Fiz chegar uma mensagem desesperada a Mikhail por intermédio de uma bailarina da companhia. Naquela noite, antes do espectáculo, Mikhail foi ao teatro com dois dos seus advogados para se encontrar com Serguei. Mikhail anunciou-lhe que assinara um contrato naquela mesma tarde com o empresário do Teatro Real que o transformava no novo proprietário. A partir daquele momento, ele e Tatiana estavam despedidos.

Mostrou-lhe uma pasta com documentos e provas sobre as actividades ilegais de Serguei em Viena, Varsóvia e Barcelona. Material mais do que suficiente para o meter atrás das grades por quinze ou vinte anos. Acrescentou um cheque com uma quantia superior à que Serguei poderia obter com as suas trapaças e mesquinhezes no resto da sua existência. A alternativa era a seguinte: se num prazo não superior a quarenta e oito horas ele e Tatiana abandonassem para sempre Barcelona e se se comprometessem a não entrarem em contacto comigo por qualquer meio, podiam levar a pasta e o cheque; se se negassem a cooperar, aquela pasta iria parar às mãos da polícia, acompanhada do cheque, como aliciante para olear a engrenagem da justiça. Serguei enlouqueceu de fúria. Gritou como um louco que nunca se ia separar de mim, que teria de passar por cima do seu cadáver se pretendia levar a sua avante.

Mikhail sorriu e despediu-se dele. Naquela noite, Tatiana e Serguei foram encontrar-se com um estranho indivíduo que oferecia os seus préstimos como assassino contratado. Ao sair dali, uns tiros anónimos vindos de uma carruagem por pouco não acabaram com eles. Os jornais publicaram a notícia aventando várias hipóteses para justificar o ataque. No dia seguinte, Serguei aceitou o cheque de Mikhail e desapareceu da cidade com Tatiana, sem se despedir...

Quando soube o que acontecera, exigi a Mikhail que confirmasse se fora responsável por aquele ataque. Desejava com desespero que me dissesse que não. Observou-me fixamente e perguntou-me por que duvidava dele. Senti-me morrer. Todo aquele castelo de cartas de felicidade e esperança parecia prestes a desmoronar-se. Perguntei outra vez. Mikhail disse que não. Que não era responsável por aquele ataque.

– Se fosse, nenhum dos dois estaria vivo – respondeu com frieza.

Por aquela altura contratou um dos melhores arquitectos da cidade para que construísse a torre junto ao Parque Güell, seguindo as suas indicações. O custo nem sequer foi discutido. Enquanto a torre estava em construção, Mikhail alugou um andar inteiro do velho Hotel Colón, na Plaza Cataluña. Ali nos instalámos temporariamente. Pela primeira vez na vida descobri que era possível ter tantos criados que não conseguíamos decorar o nome de todos. Mikhail só tinha um ajudante, Luis, o seu motorista.

Os joalheiros de Bagués visitavam-me nos meus aposentos. Os melhores costureiros tiravam-me as medidas para criarem um guarda-roupa de imperatriz. Abriu conta sem limite em meu nome nos melhores estabelecimentos de Barcelona. Pessoas que nunca vira cumprimentavam-me com deferência na rua ou no vestíbulo do hotel. Recebia convites para bailes de gala nos palácios de famílias cujo nome nunca mirara, excepto na imprensa da sociedade. Eu tinha apenas vinte anos. Nunca tivera nas minhas mãos dinheiro suficiente para comprar um bilhete de eléctrico. Sonhava acordada. Comecei a sentir-me constrangida por tanto luxo e pelo esbanjamento à minha volta. Quando explicava isso a Mikhail, ele respondia-me que o dinheiro não tem importância, a menos que se tenha falta dele.

Passávamos os dias juntos, passeando pela cidade, no casino do Tibidabo, embora nunca tenha visto Mikhail jogar uma única moeda, no Liceo... Ao entardecer, voltávamos para o Hotel Colón e Mikhail retirava-se para o seu quarto. Comecei a reparar que, muitas noites, Mikhail saía de madrugada e só voltava depois do amanhecer. Segundo ele, tinha de tratar de assuntos de trabalho.

Mas o falatório das pessoas aumentava. Sentia que me ia casar com um homem que todos pareciam conhecer melhor do que eu. Ouvia as criadas falar nas minhas costas. Via as pessoas examinar-me à lupa por detrás dos seus sorrisos hipócritas na rua. Lentamente, fui-me transformando em prisioneira das minhas próprias suspeitas. E uma ideia começou a torturar-me. Todo aquele luxo, aquele excessivo desperdício material à minha volta, fazia-me sentir como mais uma peça do mobiliário. Mais um capricho de Mikhail. Ele podia comprar tudo: o Teatro Real, Serguei, automóveis, jóias, palácios. E a mim. Ardia de ansiedade ao vê-lo partir todas as noites já de madrugada, convencida de que corria para os braços de outra mulher. Uma noite decidi segui-lo e acabar com aquele mistério.

Os seus passos guiaram-me até às oficinas da Velo-Granell junto do mercado do Borne. Mikhail fora sozinho. Tive de enfiar-me por uma diminuta janela, num beco. O interior da fábrica pareceu-me um cenário de pesadelo. Centenas de pés, mãos, braços, pernas, olhos de vidro, flutuavam nas naves... peças de substituição para uma humanidade destruída e miserável. Percorri aquele lugar até chegar a uma grande sala às escuras, ocupada por enormes tanques de vidro em cujo interior flutuavam silhuetas indefinidas. No centro da sala, na penumbra, Mikhail observava-me sentado numa cadeira, fumando um charuto.

– Não devias ter-me seguido – disse sem raiva na voz.

Argumentei que não me podia casar com um homem de que apenas vira metade, um homem de quem apenas conhecia os dias e não as noites.

– Talvez não gostes do que vais descobrir – insinuou.

Disse-lhe que não me importava o porquê ou o como. Não me importava o que fazia ou se os rumores sobre ele eram verdadeiros. Só queria fazer parte da sua vida por completo. Sem máscaras. Sem segredos. Assentiu e soube o que aquilo significava: atravessar um limiar sem regresso. Quando Mikhail acendeu as luzes da sala, acordei do meu sonho daquelas semanas. Estava no Inferno.

Os tanques de formol continham cadáveres que giravam num macabro *ballet*. Em cima de uma mesa metálica jazia o corpo nu de uma mulher dissecada do ventre à garganta. Os braços estavam abertos em cruz e reparei que as articulações dos braços e mãos eram peças de madeira e metal. Uns tubos desciam-lhe pela garganta e cabos de bronze penetravam nas extremidades e nas ancas. A pele era translúcida, azulada como a de um peixe. Observei Mikhail, sem fala, enquanto ele se aproximava do corpo e o contemplava com tristeza.

– Isto é o que a Natureza faz com os seus filhos. Não há mal no coração dos homens, mas uma simples luta para sobreviver ao inevitável. Não há pior demónio do que a mãe-Natureza… O meu trabalho, todo o meu esforço, não é mais do que uma tentativa para ludibriar o grande sacrilégio da criação…

Vi-o pegar numa seringa e enchê-la com um líquido esmeralda que guardava num frasco. Os nossos olhos encontraram-se brevemente e então Mikhail cravou a seringa no crânio do cadáver. Esvaziou o conteúdo. Retirou-a e permaneceu imóvel um instante, observando o corpo inerte. Segundos mais tarde senti o sangue gelar. As pestanas de uma das pálpebras estavam a tremer. Ouvi o som das engrenagens das articulações de madeira e metal. Os dedos adejaram. De súbito, o corpo da mulher ergueu-se com um choque violento. Um grito animal inundou a sala, ensurdecedor. Fios de espuma branca escorriam dos lábios negros, tumefactos. A mulher desprendeu-se dos cabos que lhe perfuravam a pele e caiu no chão como uma marioneta partida. Uivava como um lobo ferido. Levantou a cara e cravou os olhos em mim. Fui incapaz de afastar os olhos do horror que neles li. O seu olhar emitia uma força animal arrepiante. Queria viver.

Senti-me paralisada. Poucos segundos depois, o corpo ficou de novo inerte, sem vida. Mikhail, que assistira impassível a tudo o que acontecera, pegou num sudário e cobriu o cadáver.

Aproximou-se de mim e agarrou-me nas mãos trémulas. Olhou-me como se quisesse ver nos meus olhos se ia ser capaz de continuar a seu lado depois do que presenciara. Quis encontrar palavras para expressar o meu medo, para dizer-lhe como estava enganado... Tudo o que consegui foi balbuciar que me tirasse daquele lugar. Foi o que fez. Regressámos ao Hotel Colón. Acompanhou-me ao meu quarto, mandou trazer uma taça de caldo quente e agasalhou-me enquanto o tomava.

– A mulher que viste esta noite morreu há seis semanas debaixo das rodas de um eléctrico. Saltou para salvar um garoto que brincava nos carris e não conseguiu evitar o impacte. As rodas cortaram-lhe os braços à altura do cotovelo. Morreu na rua. Ninguém sabe o seu nome. Ninguém a reclamou. Há dezenas como ela. Todos os dias...

– Mikhail, não compreendes... Não podes fazer o trabalho de Deus...

Acariciou-me a testa e sorriu-me com tristeza, concordando.

– Boa noite – disse.

Dirigiu-se para a porta e parou antes de sair.

– Se amanhã não estiveres aqui – disse –, compreenderei.

Duas semanas mais tarde, casámos na Catedral de Barcelona.»

Capítulo 23

«Mikhail desejava que aquele dia fosse especial para mim. Fez com que toda a cidade se transformasse no cenário de um conto de fadas. O meu reinado de imperatriz naquele mundo de sonho acabou para sempre nos degraus da avenida da catedral. Nem sequer cheguei a ouvir os gritos das pessoas. Como um animal selvagem que salta do mato, Serguei emergiu da multidão e lançou-me um frasco de ácido à cara. O ácido devorou-me a pele, as pálpebras e as mãos. Destruiu-me a garganta e ceifou-me a voz. Só voltei a falar dois anos depois, quando Mikhail me reconstruiu como a uma boneca quebrada. Foi o princípio do terror.

Pararam as obras da nossa casa e instalámo-nos naquele palácio incompleto. Fizemos dele uma prisão que se erguia no alto de uma colina. Era um lugar frio e escuro. Uma amálgama de torres e arcos, de abóbadas e escadas em caracol que subiam para lugar nenhum. Eu vivia encerrada num compartimento no alto da torre. Ninguém tinha acesso a ele senão Mikhail e, às vezes, o doutor Shelley. Passei o primeiro ano sob o torpor da morfina, mergulhada num longo pesadelo. Julgava ver em sonhos Mikhail a fazer experiências comigo tal como estivera a fazer com aqueles corpos abandonados em hospitais e morgues. Reconstruindo-me e enganando a Natureza. Quando recuperei os sentidos, comprovei que os meus sonhos eram reais. Devolveu-me a voz. Refez a minha garganta e a minha boca para que me pudesse alimentar e falar. Alterou os meus terminais nervosos para que não sentisse a dor das feridas que o ácido deixara no meu corpo. Sim, enganei a morte, mas passei a ser mais uma das criaturas malditas de Mikhail.

Por outro lado, Mikhail perdera a influência na cidade. Ninguém o apoiava. Os seus antigos aliados voltavam-lhe as costas e abandonavam-no. A polícia e as autoridades judiciais começaram a persegui-lo. O seu sócio, Sentís, era um usurário mesquinho e invejoso. Forneceu informações falsas que implicavam Mikhail em mil casos de que ele nunca soubera. Desejava afastá-lo do controlo da empresa. Era mais um da matilha. Todos ansiavam por vê-lo cair do seu pedestal para devorar as sobras. O exército de hipócritas e aduladores transformou-se numa horda de hienas famintas. Nada disso surpreendeu Mikhail. Desde o princípio, apenas confiara no seu amigo Shelley e em Luis Claret. “A mesquinhez dos homens”, dizia sempre, “é um pavio em busca de chama.” Mas aquela traição cortou finalmente a frágil ligação que o unia ao mundo exterior. Refugiou-se no seu próprio labirinto de solidão. Tinha um comportamento cada vez mais extravagante. Adquiriu o costume de criar nas caves dezenas de exemplares de um insecto que o obcecava, uma borboleta negra conhecida como *Teufel*. Em breve as borboletas negras povoaram o torreão. Pousavam em espelhos, quadros e móveis como sentinelas silenciosas. Mikhail proibiu os criados de as matar, afugentá-las ou atreverem-se a aproximar-se delas. Um enxame de insectos de asas negras voava pelos corredores e pelas salas. Às vezes pousavam sobre Mikhail e cobriam-no, enquanto ele permanecia imóvel. Quando o via assim, receava perdê-lo para sempre.

Começou naqueles dias a minha amizade com Luis Claret, que durou até hoje. Era ele quem me mantinha informada do que acontecia para além dos muros daquela fortaleza. Mikhail contara-me falsas histórias acerca do Teatro Real e da minha reaparição em palco. Falava de reparar o mal que o ácido causara, de cantar com uma voz que já não me pertencia... Quimeras. Luis explicou-me que as obras do Teatro Real tinham sido interrompidas. Os fundos haviam-se esgotado já há meses. O edifício era uma imensa caverna inútil... A serenidade que Mikhail me mostrava era uma mera fachada. Passava semanas e meses sem sair de casa. Dias inteiros encerrado no seu estúdio, sem comer nem dormir. Joan Shelley, conforme me confessou mais tarde, temia pela sua saúde e pelo seu juízo. Conhecia-o melhor do que ninguém e desde o princípio ajudara-o nas suas experiências. Foi ele quem me falou claramente da obsessão de Mikhail pelas doenças degenerativas, das suas desesperadas tentativas para encontrar os mecanismos com que a Natureza deformava e atrofiava os corpos. Sempre viu neles uma força, uma ordem e uma vontade para além de qualquer razão. Aos seus olhos, a Natureza era uma besta que devorava as suas próprias criaturas, sem se importar com o destino e a sorte dos seres que albergava em si. Coleccionava fotografias de estranhos casos de atrofia e de fenómenos médicos. Naqueles seres humanos, esperava encontrar a sua resposta: como ludibriar os seus demónios.

Foi então que os primeiros sintomas do mal se tornaram visíveis. Mikhail sabia que o tinha dentro de si, esperando pacientemente como um mecanismo de relógio. Soubera-o desde sempre, desde que vira morrer o irmão em Praga. O seu corpo começava a autodestruir-se. Os ossos estavam a desfazer-se. Mikhail cobria as mãos com luvas. Ocultava o rosto e o corpo. Evitava a minha companhia. Eu fingia não notar, mas era um facto: a sua silhueta transformava-se. Um dia de Inverno, os gritos dele acordaram-me ao amanhecer. Mikhail estava a despedir o pessoal aos gritos. Ninguém resistiu, pois todos tinham ficado com medo dele nos últimos meses. Só Luis se negou a abandonar-nos. Mikhail, a chorar de raiva, partiu todos os espelhos e correu a encerrar-se no seu estúdio.

Uma noite pedi a Luis que fosse buscar o doutor Shelley. Mikhail estava há duas semanas sem sair nem responder aos meus chamamentos. Ouvia-o soluçar do outro lado da porta do estúdio, falar sozinho... Já não sabia o que fazer. Estava a perdê-lo. Com a ajuda de Shelley e de Luis, deitámos a porta abaixo e conseguimos arrancá-lo dali. Verificámos com horror que Mikhail estivera a operar no seu próprio corpo, procurando refazer a mão esquerda que se estava a transformar numa garra grotesca e inútil. Shelley administrou-lhe um sedativo e velámos o seu sono até ao amanhecer. Naquela longa noite, desesperado perante a agonia do seu velho amigo, Shelley desabafou, quebrando a sua promessa de nunca revelar a história que Mikhail lhe confiara anos antes. Ao ouvir as suas palavras, compreendi que nem a polícia nem o inspector Florián tinham chegado algum dia a suspeitar que perseguiam um fantasma. Mikhail nunca foi um criminoso nem um burlão. Mikhail foi simplesmente um homem que acreditava que o seu destino era enganar a morte antes que ela o enganasse a ele.»

«Mikhail Kolvenick nasceu nos túneis dos esgotos de Praga no último dia do século XIX.

A mãe era uma criada com apenas dezassete anos que servia num palácio da alta nobreza. A sua beleza e ingenuidade tinham-na transformado na favorita do seu senhor. Quando se soube que estava grávida, foi expulsa como um cão sarnento para as ruas cobertas de neve e sujidade. Marcada para a vida. Naqueles anos, o Inverno varria as ruas com um manto de morte. Dizia-se que os miseráveis corriam a esconder-se nos velhos túneis da rede de esgotos. A lenda local falava de uma autêntica cidade de trevas por baixo das ruas de Praga, onde milhares de espoliados passavam a vida sem tornar a ver a luz do Sol. Mendigos, doentes, órfãos e fugitivos. Entre eles espalhava-se o culto a uma enigmática personagem a que chamavam o *Príncipe dos Mendigos*. Dizia-se que não tinha idade, que possuía o rosto de um anjo e que o seu olhar era de fogo. Que vivia envolto num manto de borboletas negras que lhe cobriam o corpo e que acolhia no seu reino aqueles a quem a crueldade do mundo negara uma possibilidade de sobreviver à superfície. Procurando aquele mundo de sombras, a jovem penetrou nos subterrâneos para sobreviver. Em breve descobriu que a lenda era verdadeira. As pessoas dos túneis viviam nas trevas e formavam o seu próprio mundo. Tinham as suas próprias leis. E o seu próprio Deus: o *Príncipe dos Mendigos*. Ninguém o vira nunca, mas todos acreditavam nele e deixavam oferendas em sua honra. Todos marcavam a ferro a pele com o símbolo da borboleta negra. A profecia dizia que, um dia, um messias enviado pelo *Príncipe dos Mendigos* chegaria aos túneis e daria a sua vida para redimir os seus habitantes do sofrimento. A perdição desse messias viria das suas próprias mãos.

Foi ali que a jovem mãe deu à luz gémeos: Andrei e Mikhail. Andrei chegou ao mundo marcado por uma terrível doença. Os ossos não conseguiam solidificar e o corpo crescia sem forma nem estrutura. Um dos habitantes dos túneis, um médico perseguido pela justiça, explicou-lhe que a doença era incurável. O fim era apenas uma questão de tempo. No entanto, o irmão Mikhail era um garoto de inteligência sagaz e carácter retraído que sonhava abandonar um dia aqueles túneis e emergir no mundo da superfície. Congeminava com frequência a ideia de que talvez fosse ele o messias esperado. Nunca soube quem fora o pai, de forma que na sua mente adoptou para esse papel o *Príncipe dos Mendigos*, a quem julgava ouvir em sonhos. Não havia nele sinais aparentes do terrível mal que acabaria com a vida do irmão. Efectivamente, Andrei morreu aos sete anos sem ter nunca saído dos esgotos. Quando o seu gémeo faleceu, o corpo foi entregue às correntes subterrâneas, de acordo com o ritual da gente dos túneis. Mikhail perguntou à mãe por que acontecera uma coisa daquelas.

– É a vontade de Deus, Mikhail – respondeu-lhe a mãe.

Mikhail nunca esqueceria aquelas palavras. A morte do pequeno Andrei foi um golpe que a mãe não conseguiu superar. Durante o Inverno seguinte, adoeceu com pneumonia. Mikhail esteve a seu lado até ao último momento, segurando-lhe a mão trémula. Tinha vinte e seis anos e o rosto de uma mulher idosa.

– É esta a vontade de Deus, mãe? – perguntou Mikhail a um corpo sem vida.

Nunca obteve resposta. Dias mais tarde, o jovem Mikhail emergiu à superfície. Já nada o prendia ao mundo subterrâneo. Morto de fome e de frio, procurou refúgio num saguão. Quis o acaso que um médico que regressava de uma visita, Antonin Kolvenick, o encontrasse ali. O médico recolheu-o e levou-o a uma taberna onde lhe deu comida quente.

– Como te chamas, rapaz?

– Mikhail, senhor.

Antonin Kolvenick empalideceu.

– Tive um filho que tinha o mesmo nome que tu. Morreu. Onde está a tua família?

– Não tenho família.

– Onde está a tua mãe?

– Deus levou-a.

O médico assentiu com gravidade. Pegou na sua maleta e extraiu dela uma coisa que deixou Mikhail boquiaberto. Entreviu outros instrumentos lá dentro. Reluzentes. Prodigiosos.

O doutor pousou-lhe o estranho objecto sobre o peito e colocou duas hastes nos ouvidos.

– O que é isso?

– Serve para ouvir o que dizem os teus pulmões... Respira fundo.

– O senhor é um mágico? – perguntou Mikhail, atónito.

O médico sorriu.

– Não, não sou um mágico. Sou apenas um médico.

– Qual é a diferença?

Antonin Kolvenick perdera a esposa e o filho num surto de cólera anos antes. Agora vivia sozinho, mantinha um modesto consultório de cirurgião e uma paixão pelas obras de Richard Wagner. Observou aquele rapazito andrajoso com curiosidade e comiseração. Mikhail exibiu aquele sorriso que oferecia o melhor que havia nele.

O doutor Kolvenick decidiu tomá-lo sob a sua protecção e levá-lo para viver em sua casa. Ali passou os dez anos seguintes. Do bom médico recebeu uma educação, um lar e um nome. Mikhail era apenas um adolescente quando começou a ajudar o pai adoptivo nas operações e a aprender os mistérios do corpo humano. A misteriosa vontade de Deus revelava-se por intermédio de complexas estruturas de carne e osso, animadas por uma centelha de magia incompreensível. Mikhail absorvia aquelas lições avidamente, com a certeza de que naquela ciência havia uma mensagem que esperava ser descoberta.

Ainda não completara vinte anos quando a morte voltou a visitar Mikhail. A saúde do velho médico degradava-se há já algum tempo. Um ataque cardíaco destruiu metade do seu coração numa Noite de Natal, enquanto planeavam fazer uma viagem para que Mikhail conhecesse o Sul da Europa. Antonin Kolvenick estava a morrer. Mikhail jurou a si mesmo que desta vez a morte não lho roubaria.

– O meu coração está cansado, Mikhail – dizia o velho médico. – É hora de ir ao encontro da minha Frida e do meu outro Mikhail...

– Eu dar-lhe-ei outro coração, pai.

O médico sorriu. Aquele estranho jovem e as suas extravagantes ideias... A única razão que o fazia recear deixar este mundo era porque o ia deixar só e desprotegido. Mikhail não tinha outros amigos a não ser os livros. O que ia ser dele?

– Já me deste dez anos de companhia, Mikhail – disse-lhe. – Agora deves pensar em ti. No teu futuro.

– Não o vou deixar morrer, pai.

– Mikhail, lembras-te daquele dia em que me perguntaste qual era a diferença entre um médico e um mágico? Pois bem, Mikhail, não há magia. O nosso corpo começa a destruir-se desde que nasce. Somos frágeis. Criaturas de passagem. O que fica de nós são as nossas acções, o bem ou o mal que fazemos aos nossos semelhantes. Compreendes o que quero dizer, Mikhail?

Dez dias mais tarde, a polícia encontrou Mikhail coberto de sangue, a chorar junto do cadáver do homem que aprendera a chamar pai. Os vizinhos alertaram as autoridades ao sentir um estranho cheiro e ao ouvir os uivos do jovem. O relatório policial concluiu que Mikhail, perturbado pela morte do médico, o dissecara e tentara reconstruir o seu coração utilizando um mecanismo de válvulas e engrenagens. Mikhail foi internado no manicómio de Praga, de onde fugiu dois anos mais tarde, fingindo-se morto. Quando as autoridades foram à morgue procurar o seu corpo, encontraram apenas um lençol branco e borboletas negras voando à sua volta.

Mikhail chegou a Barcelona com as sementes da sua loucura e do mal que se manifestaria anos mais tarde. Revelava pouco interesse pelas coisas materiais e pela companhia das pessoas. Nunca se orgulhou da fortuna que acumulou. Costumava dizer que ninguém merece ter um cêntimo a mais do que aquilo que está disposto a oferecer àqueles que precisam mais do que ele. Na noite em que o conheci, Mikhail disse-me que, por qualquer razão, a vida nos costuma oferecer aquilo que não procuramos nela. A ele trouxe-lhe fortuna, fama e poder. A sua alma apenas ansiava por paz de espírito, por poder calar as sombras que o seu coração albergava... »

«Nos meses que se seguiram ao incidente no seu estúdio, Shelley, Luis e eu combinámos manter Mikhail afastado das suas obsessões e distraí-lo. Não era tarefa fácil. Mikhail sabia sempre quando lhe mentíamos, mesmo que não o dissesse. Deixava seguir a corrente, fingindo docilidade e mostrando resignação quanto à sua doença... Quando o olhava nos olhos, no entanto, lia neles o negrume que lhe estava a inundar a alma. Deixara de confiar em nós. As condições de miséria em que vivíamos pioraram. Os bancos cativaram as contas e os bens da Velo-Granell haviam sido confiscados pelo governo. Sentís, que acreditava que as suas manobras o iam transformar no dono absoluto da empresa, ficou arruinado. Só conseguiu ficar com o antigo apartamento de Mikhail na Calle Princesa. Nós só pudemos conservar as propriedades que Mikhail pusera em meu nome: o Gran Teatro Real, este túmulo inútil em que acabei por refugiar-me, e uma estufa junto dos caminhos-de-ferro de Sarriá que Mikhail utilizara no passado como oficina para as suas experiências pessoais.

Para comer, Luis encarregou-se de vender as minhas jóias e vestidos a quem ofereceu maior valor. O meu enxoval de noiva, que nunca cheguei a utilizar, transformou-se na nossa fonte de manutenção. Mikhail e eu quase não falávamos. Ele vagueava pela nossa mansão como um espectro, cada vez mais deformado. As mãos eram incapazes de segurar um livro. Os olhos liam com dificuldade. Já não o ouvia chorar. Agora apenas ria. O seu riso amargo à meia--noite gelava-me o sangue. Com as mãos atrofiadas escrevia num caderno com letra ilegível páginas e páginas cujo conteúdo desconhecíamos. Quando o doutor Shelley o vinha visitar, Mikhail encerrava-se no seu estúdio e negava-se a sair até que o amigo se tivesse ido embora. Confessei a Shelley o meu receio de que Mikhail estivesse a pensar em acabar com a vida. Shelley disse-me que temia algo pior. Não soube ou não quis entender a que se referia.

Outra ideia disparatada rondava-me a cabeça há algum tempo. Julguei ver nela a forma de salvar Mikhail e o nosso casamento. Decidi ter um filho. Estava convencida de que, se conseguisse dar-lhe um filho, Mikhail descobriria um motivo para continuar a viver e regressar para junto de mim. Deixei-me levar por aquela ilusão. Todo o meu corpo ardia em ânsias de conceber aquela criatura de salvação e esperança. Sonhava com a ideia de criar um pequeno Mikhail, puro e inocente. O meu coração desejava ter de novo outra versão do pai, livre de todo o mal. Não podia deixar que Mikhail suspeitasse do que tramava, ou negar-se-ia categoricamente. Muito trabalho me ia custar encontrar o momento de estar a sós com ele. Como disse, há já algum tempo que Mikhail fugia de mim. A sua deformidade fazia-o sentir-se mal na minha presença. A doença começava a afectar-lhe a fala. Balbuciava, cheio de raiva e vergonha. Só podia ingerir líquidos. Os meus esforços para demonstrar que o seu estado não me causava repulsa, que ninguém melhor do que eu compreendia e partilhava o seu sofrimento, apenas pareciam piorar a situação. Mas tive paciência e, por uma vez na vida, julguei enganar Mikhail. Só me enganei a mim mesma. Aquele foi o pior dos meus erros.

Quando anunciei a Mikhail que íamos ter um filho, a sua reacção inspirou-me terror. Desapareceu durante quase um mês. Luis encontrou-o na velha estufa de Sarriá semanas mais tarde, sem discernimento. Estivera a trabalhar sem descanso. Reconstruíra a garganta e a boca. A sua aparência era monstruosa. Dotara-se a si próprio de uma voz profunda, metálica e malévola. As mandíbulas estavam ornadas com dentes de metal. O rosto era irreconhecível, excepto nos olhos. Por debaixo daquele horror, a alma do Mikhail que eu amava ainda continuava a consumir-se no seu próprio inferno. Junto do corpo, Luis encontrou uma série de mecanismos e centenas de planos. Fiz com que Shelley lhes desse uma vista de olhos enquanto Mikhail recuperava de um longo sono do qual não despertou senão passados três dias. As conclusões do médico foram horripilantes. Mikhail perdera por completo a razão. Estava a planear reconstruir todo o seu corpo antes que a doença o consumisse por inteiro. Encerrámo-lo no alto da torre, numa cela inexpugnável. Dei à luz a nossa filha ao mesmo tempo que ouvia os berros selvagens do meu marido, preso como um animal. Não fiquei nem um dia com ela. O doutor Shelley encarregou-se da criança e jurou criá-la como sua própria filha. Chamar-se-ia María e, tal como eu, nunca chegou a conhecer a sua verdadeira mãe. A pouca vida que me restava no coração partiu com ela, mas eu sabia que não tinha opção. Respirava-se no ar a tragédia iminente. Podia cheirá-la como um veneno. Bastava esperar. Como sempre, o golpe final veio de onde menos esperávamos.»

«Benjamín Sentís, a quem a inveja e a cobiça levaram à ruína, estivera a tramar a sua vingança. Já na altura em que isso acontecera tínhamos suspeitado que fora ele quem ajudara Serguei a fugir quando me atacara na catedral. Como na obscura profecia das gentes dos túneis, as mãos que Mikhail lhe dera anos antes apenas tinham servido para tecer o infortúnio e a traição. Na última noite de 1948, Benjamín Sentís regressou para desferir a punhalada definitiva em Mikhail, a quem odiava profundamente.

Durante aqueles anos, os meus antigos tutores, Serguei e Tatiana, tinham vivido na clandestinidade. Também eles ansiavam por vingança. Chegara a hora. Sentís sabia que a brigada de Florián planeava passar revista à nossa casa do Parque Güell no dia seguinte, em busca das supostas provas incriminatórias contra Mikhail. Se essa revista tivesse chegado a concretizar-se, as suas mentiras e enganos seriam descobertos. Pouco antes da meia-noite, Serguei e Tatiana esvaziaram diversos bidões cheios de gasolina em volta da nossa mansão. Sentís, sempre o cobarde na sombra, viu do carro deflagrar as primeiras chamas e desapareceu dali.

Quando acordei, o fumo azul subia pelas escadas. O fogo espalhou-se numa questão de minutos. Luis resgatou-me e conseguiu salvar as nossas vidas, saltando da varanda para a cobertura das garagens e, dali, para o jardim. Quando nos voltámos, as chamas envolviam completamente os dois primeiros andares e subiam para o torreão, onde mantínhamos Mikhail encerrado. Quis correr para as chamas a fim de o salvar, mas Luis, ignorando os meus gritos e pancadas, manteve-me presa nos seus braços. Nesse momento descobrimos Serguei e Tatiana. Serguei ria como um demente. Tatiana tremia em silêncio, com as mãos a cheirar a gasolina. Recordo o que aconteceu depois como uma visão arrancada de um pesadelo. As chamas atingiram o cimo do torreão. As janelas estalaram numa chuva de vidros. De súbito, emergiu uma figura no meio do fogo. Julguei ver um anjo negro precipitar-se sobre os muros. Era Mikhail. Reptava como uma aranha sobre as paredes, onde se agarrava com as garras de metal que fabricara para si. Deslocava-se a uma velocidade alucinante. Serguei e Tatiana contemplavam-no, atónitos, sem compreender o que estavam a presenciar. A sombra lançou-se sobre eles e, com uma força sobre-humana, arrastou-os para o interior. Ao vê-los desaparecer naquele inferno, perdi os sentidos.

Luis levou-me para o único refúgio que nos restava, as ruínas do Gran Teatro Real. Foi esse o nosso lar até hoje. No dia seguinte, os jornais noticiaram a tragédia. Dois corpos foram encontrados abraçados no sótão, carbonizados. A polícia deduziu que éramos Mikhail e eu. Só nós sabíamos que, na verdade, se tratava de Serguei e Tatiana. Nunca foi encontrado um terceiro corpo. Naquele mesmo dia, Shelley e Luis foram à estufa de Sarriá em busca de Mikhail. Não havia rasto dele. A transformação estava prestes a completar-se. Shelley recolheu todos os seus papéis, planos e escritos para não deixar nenhuma prova. Estudou-os durante semanas, esperando encontrar a chave para localizar Mikhail. Sabíamos que estava escondido em qualquer lugar da cidade, esperando, ultimando a sua transformação. Graças aos seus escritos, Shelley descobriu o plano de Mikhail. Os diários descreviam um soro obtido a partir da essência das borboletas que criara durante anos, o soro que vira Mikhail ressuscitar o cadáver de uma mulher na fábrica da Velo-Granell. Por fim, compreendi o que pretendia. Mikhail retirara-se para morrer. Necessitava de se libertar do seu último sopro de humanidade para poder atravessar para o outro lado. Como a borboleta negra, o seu corpo ia enterrar-se para renascer das trevas. E quando regressasse, já não o faria como Mikhail Kolvenick. Fá-lo-ia como uma besta.»

As suas palavras ressoaram com o eco do Gran Teatro.

– Durante meses não tivemos notícias de Mikhail nem encontrámos o seu esconderijo – continuou Eva Irinova. – No fundo, acalentávamos a esperança de que o seu plano fracassasse. Estávamos enganados. Um ano depois do incêndio, dois inspectores foram à Velo-Granell, alertados por uma denúncia anónima. Como é evidente, outra vez Sentís. Não tendo tido notícias de Serguei e Tatiana, suspeitava que Mikhail continuava vivo. As instalações da fábrica estavam fechadas e ninguém tinha acesso a elas. Os dois inspectores surpreenderam um intruso no interior. Dispararam e esvaziaram os seus carregadores sobre ele, mas...

– Por isso nunca foram encontradas balas – recordei as palavras de Florián. – O corpo de Kolvenick absorveu todos os impactes...

A idosa senhora anuiu.

– Os corpos dos polícias foram encontrados despedaçados – disse. – Ninguém compreendia o que se passara. Excepto Shelley, Luis e eu. Mikhail regressara. Nos dias seguintes, todos os membros da antiga comissão de direcção da Velo-Granell que o atraiçoaram encontraram a morte em circunstâncias pouco claras. Suspeitávamos que Mikhail se ocultava nos esgotos e utilizava os túneis para se deslocar pela cidade. Não era um mundo desconhecido para ele. Só havia uma interrogação. Por que motivo fora à fábrica? Uma vez mais, os seus cadernos de trabalho deram-nos a resposta: o soro. Precisava de se injectar com o soro para se manter vivo. As reservas do torreão foram destruídas e as que conservava na estufa tinham-se com certeza esgotado. O doutor Shelley subornou um oficial da polícia para poder entrar na fábrica. Encontrámos lá um armário com os dois últimos frascos de soro. Shelley guardou um em segredo. Depois de uma vida inteira a combater a doença, a morte e a dor, não era capaz de destruir aquele soro. Precisava de o estudar, descobrir os seus segredos... Ao analisá-lo, conseguiu sintetizar um composto à base de mercúrio com que pretendia neutralizar o seu poder. Embebeu doze balas de prata com esse composto e guardou-as, esperando não ter de as utilizar nunca.

Compreendi que aquelas eram as balas que Shelley entregara a Luis Claret. Eu continuava vivo graças a elas.

– E Mikhail? – perguntou Marina. – Sem o soro...

– Encontrámos o seu cadáver num esgoto por debaixo do Barrio Gótico – disse Eva Irinova. – O que dele restava, pois transformara-se numa aberração infernal que fedia ao cadáver putrefacto com que se construíra…

A anciã ergueu os olhos para o seu velho amigo Luis. O motorista tomou a palavra e completou a história.

– Enterrámos o corpo no cemitério de Sarriá, num túmulo sem nome – explicou. – Oficialmente, o senhor Kolvenick morrera há um ano. Não podíamos revelar a verdade. Se Sentís descobrisse que a senhora continuava viva, não descansaria até a destruir também. Condenámo-nos a nós próprios a uma vida secreta neste lugar…

– Durante anos, acreditei que Mikhail descansava em paz. Ia lá no último domingo de cada mês, como no dia em que o conheci, para o visitar e lembrar-lhe que em breve, muito em breve, nos reuniríamos de novo… Vivíamos num mundo de recordações e, no entanto, esquecemo-nos de uma coisa essencial…

– De quê? – perguntei.

– De María, a nossa filha.

Marina e eu entreolhámo-nos. Recordei que Shelley atirara a fotografia que lhe tínhamos mostrado para o fogo. A menina que aparecia naquela imagem era María Shelley.

Ao levarmos o álbum para a estufa roubáramos a Mikhail Kolvenick a única recordação que tinha da filha que não chegara a conhecer.

– Shelley criou María como sua filha, mas ela sempre teve a intuição de que a história que lhe contara não era verdadeira, isso de a mãe ter morrido ao dá-la à luz… Shelley nunca soube mentir. Com o tempo, María encontrou os velhos cadernos de Mikhail no estúdio do médico e reconstruiu a história que vos expliquei.

María nasceu com a loucura do pai. Lembro-me que no dia em que anunciei a Mikhail que estava grávida, ele sorriu. Aquele sorriso encheu-me de inquietação, embora nessa altura não percebesse porquê. Só anos mais tarde descobri nos escritos de Mikhail que a borboleta negra dos esgotos se alimenta das suas próprias crias e que, quando se enterra para morrer, o faz com o corpo de uma das suas larvas, que devora ao ressuscitar... Quando vocês descobriram a estufa ao seguir-me desde o cemitério, também María encontrou por fim o que há anos procurava. O frasco de soro que Shelley escondia... E, trinta anos depois, Mikhail regressou da morte. Tem-se alimentado dela desde então, refazendo-se de novo com pedaços de outros corpos, adquirindo força, criando outros como ele...

Engoli em seco e recordei o que vira na noite anterior nos túneis.

– Quando compreendi o que estava a acontecer – continuou Eva –, quis avisar Sentís de que ele seria o primeiro a cair. Para não revelar a minha identidade, utilizei-te a ti, Óscar, com aquele cartão. Julguei que, ao vê-lo e ao ouvir o pouco que vocês sabiam, o medo o faria reagir e se protegeria. Uma vez mais, subestimei o velho mesquinho... Quis ir ao encontro de Mikhail e destruí-lo. Arrastou Florián com ele... Luis foi ao cemitério de Sarriá e comprovou que o túmulo estava vazio. A princípio suspeitámos que Shelley nos atraiçoara. Acreditámos que fora ele quem andara a visitar a estufa, a construir novas criaturas... Talvez não quisesse morrer sem perceber os mistérios que Mikhail deixara sem explicação... Nunca tivemos a certeza em relação a ele. Quando compreendemos que estava a proteger María, era demasiado tarde... Agora Mikhail virá atrás de nós.

– Porquê? – perguntou Marina. – Por que haveria de voltar a este lugar?

A anciã desabotoou em silêncio os dois botões superiores do vestido e tirou o cordão de uma medalha. O cordão tinha suspenso um frasco de vidro em cujo interior refulgia um líquido cor de esmeralda.

– Por isto – disse.

Capítulo 24

Estava a contemplar contra a luz o frasco de soro quando o ouvi. Marina também o ouvira. Algo se arrastava sobre a cúpula do teatro.

– Estão aqui – disse Luis Claret da porta, com voz sombria.

Eva Irinova, sem mostrar surpresa, guardou de novo o soro. Vi como Luis Claret puxava do revólver e verificava o carregador. As balas de prata que lhe dera Shelley brilhavam no seu interior.

– Agora devem ir embora – ordenou-nos Eva Irinova. – Já sabem a verdade. Aprendam a esquecê-la.

O rosto estava oculto pelo véu e a sua voz mecânica não tinha entoação. Foi-me impossível deduzir a intenção das suas palavras.

– O seu segredo está a salvo connosco – disse, apesar disso.

– A verdade está sempre a salvo das pessoas – replicou Eva Irinova. – Vão-se embora já.

Claret fez-nos sinal de que o seguíssemos e abandonámos o camarim. A Lua projectava um rectângulo de luz prateada sobre o palco através da cúpula de vidro. Sobre ele, recortadas como sombras dançantes, notavam-se as silhuetas de Mikhail Kolvenick e das suas criaturas. Ergui os olhos e pareceu-me distinguir quase uma dúzia delas.

– Meu Deus... – murmurou Marina a meu lado.

Claret estava a olhar na mesma direcção. Vi medo no seu olhar. Uma das silhuetas desferiu uma pancada brutal sobre a cúpula. Claret armou o percutor do seu revólver e apontou. A criatura continuava a bater e numa questão de segundos o vidro iria ceder.

– Há um túnel por debaixo do fosso da orquestra que atravessa a plateia até ao vestíbulo – informou-nos Claret sem afastar os olhos da cúpula. – Encontrarão um alçapão por debaixo da escada principal que vai dar a um passadiço. Sigam-no até uma saída de emergência…

– Não seria mais fácil voltar por onde viemos? – perguntei. – Pelo seu andar…

– Não. Já lá estiveram…

Marina agarrou-me e puxou por mim.

– Vamos fazer o que ele diz, Óscar.

Olhei Claret. Podia ler-se nos seus olhos a fria serenidade de quem vai ao encontro da morte com o rosto a descoberto. Um segundo mais tarde, a placa de vidro da cúpula estourou em mil pedaços e uma criatura parecida com um lobo precipitou-se no palco, uivando. Claret disparou sobre o crânio e acertou em cheio, mas lá em cima recortavam-se já as silhuetas das restantes aberrações. Reconheci Kolvenick de imediato, no centro. A um sinal seu, todos deslizaram para o teatro rastejando.

Marina e eu saltámos para o fosso da orquestra e seguimos as indicações de Claret, enquanto este nos cobria a retirada. Ouvi outro tiro, ensurdecedor. Voltei-me pela última vez antes de entrar no estreito passadiço. Um corpo envolto em farrapos sanguinolentos precipitou-se de um salto sobre o palco e lançou-se contra Claret. O impacte da bala abriu-lhe no peito um orifício fumegante do tamanho de um punho. O corpo continuava a avançar quando fechei o alçapão e empurrei Marina para o interior.

– O que vai acontecer a Claret?

– Não sei – menti. – Corre.

Precipitámo-nos pelo túnel. Não devia ter mais de um metro de largura por metro e meio de altura. Era necessário agacharmo--nos para avançar e apalpar as paredes para não perdermos o equilíbrio. Tínhamos avançado poucos metros quando notámos passos por cima de nós. Estavam a acompanhar-nos na plateia, seguindo o nosso rasto. O eco dos tiros tornou-se cada vez mais forte. Interroguei-me durante quanto tempo e quantas balas restariam a Claret antes de ser despedaçado por aquela matilha.

De repente, alguém levantou uma tábua de madeira podre sobre as nossas cabeças. A luz penetrou como uma faca, cegando-nos, e algo caiu a nossos pés, um peso morto. Claret. Tinha os olhos vazios, sem vida. O cano da pistola nas suas mãos ainda fumegava. Não havia marcas nem feridas aparentes no seu corpo, mas qualquer coisa estava fora do lugar. Marina olhou por cima de mim e gemeu. Tinham-lhe quebrado o pescoço com uma força brutal e o rosto estava virado para as costas. Cobriu-nos uma sombra e observei como uma borboleta negra pousava sobre o fiel amigo de Kolvenick. Distraído, não notei a presença de Mikhail senão quando ele atravessou a madeira fragilizada e rodeou com a sua garra a garganta de Marina. Levantou-a em peso e levou-a do meu lado antes que a pudesse segurar. Gritei o seu nome. E então falou-me. Não esquecerei nunca a sua voz.

– Se queres tornar a ver a tua amiga inteira, traz-me o frasco.

Não consegui alinhar um único pensamento durante vários segundos. Depois a angústia devolveu-me à realidade. Inclinei-me sobre o corpo de Claret e tentei apoderar-me da arma. Os músculos da sua mão estavam crispados no espasmo final. O dedo indicador permanecia cravado no gatilho. Retirando dedo a dedo, consegui por fim o meu objectivo. Abri o tambor e verifiquei que restavam munições. Apalpei os bolsos de Claret em busca de mais balas. Encontrei o segundo carregamento de munições, seis balas de prata com a ponta perfurada no interior do casaco. O pobre homem não tivera tempo de recarregar a pistola. A sombra do amigo a quem dedicara a sua existência arrancara-lhe a vida com um golpe seco e brutal antes que o pudesse fazer. Talvez, depois de tantos anos receando aquele encontro, Claret tivesse sido incapaz de disparar contra Mikhail Kolvenick, ou o que dele restava. Já pouco interessava.

A tremer, trepei pelas paredes do túnel até à plateia e parti à procura de Marina.

As balas do doutor Shelley deixaram um rasto de corpos sobre o palco. Outros tinham ficado enganchados nos lustres suspensos, sobre os camarotes... Luis Claret dispersara a matilha de bestas que acompanhava Kolvenick. Vendo os cadáveres abatidos, abortos monstruosos, não pude deixar de pensar que aquele era o melhor destino a que podiam aspirar. Desprovidos de vida, a artificialidade dos seus enxertos e as peças que os formavam tornava-se mais evidente. Um dos corpos estava estendido sobre o corredor central da plateia, de barriga para cima, com as mandíbulas desconjuntadas. O vazio nos seus olhos opacos causou-me uma profunda sensação de frio. Não havia nada neles. Nada.

Aproximei-me do palco e trepei até ao cenário. A luz no camarim de Eva Irinova continuava acesa, mas não estava lá ninguém. O ar cheirava a cadáver. Distinguia-se um rasto de dedos ensanguentados sobre as velhas fotografias nas paredes. Kolvenick. Ouvi um rangido atrás de mim e voltei-me com o revólver levantado. Distingui passos que se afastavam.

– Eva? – chamei.

Voltei ao palco e vislumbrei um círculo de luz ambarina no anfiteatro. Ao aproximar-me detectei a silhueta de Eva Irinova. Segurava um castiçal nas mãos e contemplava as ruínas do Gran Teatro Real.

As ruínas da sua vida. Voltou-se e, lentamente, levantou as chamas até às línguas puídas de veludo que pendiam dos camarotes. O tecido seco incendiou-se de imediato. Foi assim semeando o rasto de um fogo que rapidamente se estendeu pelas paredes dos camarotes, os esmaltes dourados dos muros e as poltronas.

– Não! – gritei.

Ela ignorou o meu apelo e desapareceu pela porta que ia dar às galerias atrás dos camarotes. Em questão de segundos, as chamas espalharam-se como uma praga enraivecida que rastejava e absorvia tudo o que encontrava no seu caminho. O brilho das chamas revelou um novo rosto do Gran Teatro. Senti uma onda de calor e o cheiro a madeira e tinta queimadas enjoou-me.

Segui com os olhos a subida das chamas. Distingui lá em cima a maquinaria da cortina, um complexo sistema de cordas, telões, roldanas, decorações suspensas e passarelas. Dois olhos incandescentes observavam-me das alturas. Kolvenick. Segurava Marina com uma única mão, como um brinquedo. Vi-o deslocar-se por entre os andaimes com agilidade felina. Voltei-me e reparei que as chamas se tinham estendido por todo o primeiro andar e que começavam a escalar os camarotes do segundo. O orifício na cúpula alimentava o fogo, criando uma imensa chaminé.

Corri para as escadas de madeira. Os degraus subiam em ziguezague e tremiam à minha passagem. Parei no terceiro andar e ergui os olhos. Perdera Kolvenick. Precisamente nessa altura senti umas garras cravarem-se nas minhas costas. Sacudi-me para escapar ao seu abraço mortal e vi uma das criaturas de Kolvenick. Os tiros de Claret cortaram-lhe um dos braços, mas continuava viva. Tinha uma longa cabeleira e o rosto fora outrora o de uma mulher. Apontei-lhe o revólver, mas não se deteve. De súbito, assaltou-me a certeza de que já vira aquele rosto. O brilho das chamas revelou o que restava da sua face. Senti a garganta ficar seca.

– María? – balbuciei.

A filha de Kolvenick, ou a criatura que habitava na sua carcaça, deteve-se um instante, hesitando.

– María? – pronunciei de novo.

Nada restava da aura angelical que me lembrava de ter visto nela. A sua beleza fora desfigurada. Uma alimária patética e arrepiante ocupava o seu lugar. A pele ainda estava fresca. Kolvenick trabalhara com rapidez. Baixei o revólver e tentei estender uma mão para aquela pobre mulher. Talvez ainda houvesse uma esperança para ela.

– María? Reconhece-me? Sou o Óscar. Óscar Drai. Lembra-se de mim?

María Shelley olhou-me com intensidade. Por um instante, um lampejo de vida brilhou no seu olhar. Vi-a derramar lágrimas e levantar as mãos. Contemplou as grotescas garras de metal que brotavam dos seus braços e ouvi-a gemer. Estendi-lhe a mão. María Shelley deu um passo atrás, a tremer.

Uma lufada de fogo eclodiu sobre uma das barras que sustinham a cortina principal. A lâmina de tecido puído desprendeu-se num manto de fogo. As cordas que a tinham sustido saltaram como chicotes de chamas e a passarela sobre a qual estávamos foi atingida em cheio. Desenhou-se uma linha de fogo entre nós. Estendi de novo a mão para a filha de Kolvenick.

– Por favor, agarre a minha mão.

Recuou, fugindo de mim. Tinha o rosto coberto de lágrimas. A plataforma sob os nossos pés rangeu.

– María, por favor…

A criatura observou as chamas, como se visse nelas alguma coisa. Dirigiu-me um último olhar que não consegui decifrar e agarrou a corda a arder que ficara estendida sobre a plataforma. O fogo, pelo braço, estendeu-se ao tronco, aos cabelos, às roupas e ao rosto.

Vi-a arder como se fosse uma figura de cera até que as tábuas cederam sob os seus pés e o corpo se precipitou no abismo.

Corri para uma das saídas do terceiro andar. Tinha de encontrar Eva Irinova e salvar Marina.

– Eva! – gritei quando por fim a localizei.

Ignorou o meu chamamento e continuou a avançar. Alcancei-a na escadaria central de mármore. Agarrei-a pelo braço com força e fi-la parar. Ela fez força para se libertar de mim.

– Ele tem a Marina. Se não lhe entrego o soro, vai matá-la.

– A tua amiga já está morta. Sai daqui enquanto podes.

– Não!

Eva Irinova olhou em volta. Espirais de fumo deslizavam pelas escadas. Não restava muito tempo.

– Não me posso ir embora sem ela...

– Não entendes – replicou. – Se te entregar o soro, ele matar-vos-á aos dois e ninguém o poderá deter.

– Ele não quer matar ninguém. Só quer viver.

– Continuas sem entender, Óscar – disse Eva. – Não posso fazer nada. Está tudo nas mãos de Deus.

Com estas palavras, voltou-se e afastou-se de mim.

– Ninguém pode fazer o trabalho de Deus. Nem sequer você – disse, recordando-lhe as suas próprias palavras.

Parou. Ergui o revólver e fiz pontaria. O estalido do percutor ao ser armado perdeu-se no eco da galeria. Isso fez com que se voltasse.

– Estou apenas a tentar salvar a alma de Mikhail – disse.

– Não sei se poderá salvar a alma de Kolvenick, mas a sua pode.

A idosa senhora olhou-me em silêncio, enfrentando a ameaça do revólver nas minhas mãos trémulas.

– Serias capaz de disparar contra mim a sangue-frio? – perguntou.

Não respondi. Não sabia a resposta. A única coisa que me ocupava a mente era a imagem de Marina nas garras de Kolvenick e os escassos minutos que restavam antes que as chamas abrissem definitivamente as portas do Inferno sobre o Gran Teatro Real.

– A tua amiga deve significar muito para ti.

Assenti e pareceu-me que aquela mulher esboçava o sorriso mais triste da sua vida.

– Ela sabe? – perguntou.

– Não sei – disse, sem pensar.

Assentiu devagar e vi que pegava no frasco esmeralda.

– Tu e eu somos iguais, Óscar. Estamos sós e condenados a amar alguém sem salvação...

Estendeu-me o frasco e eu baixei a arma. Pousei-a no chão e segurei o frasco nas minhas mãos. Enquanto o examinava, senti que tirara um peso de cima. Ia agradecer-lhe, mas Eva Irinova já ali não estava. O revólver também não.

Quando cheguei ao último andar, todo o edifício agonizava aos meus pés. Corri para o extremo da galeria, em busca de uma entrada para a cúpula da tramóia. De súbito de uma das portas saiu projectada da moldura, envolta em chamas. Um rio de fogo inundou a galeria. Estava encurralado. Olhei desesperado à minha volta e vi apenas uma saída. As janelas que davam para o exterior. Aproximei-me dos vidros embaciados pelo fumo e distingui uma estreita cornija do outro lado. O fogo abria caminho na minha direcção. Os vidros da janela estilhaçaram-se como se tivessem sido tocados por um sopro infernal. A minha roupa fumegava. Podia sentir as chamas na pele. Sufocava. Saltei para a cornija. O ar frio da noite assaltou-me e vi que as ruas de Barcelona se estendiam muitos metros abaixo dos meus pés. A visão era assustadora. O fogo envolvera completamente o Gran Teatro Real. Os andaimes tinham desabado, transformados em cinzas. A antiga fachada erguia-se como um majestoso palácio barroco, uma catedral de chamas no centro do Raval. As sirenes dos bombeiros ululavam como se lamentassem a sua impotência. Junto da agulha de metal onde convergia a rede de nervos de aço da cúpula, Kolvenick segurava Marina.

– Marina! – gritei.

Dei um passo em frente e agarrei-me instintivamente a um arco de metal para não cair. Estava a arder. Uivei de dor e retirei a mão. A palma enegrecida fumegava. Naquele instante, um novo estremecimento percorreu a estrutura e adivinhei o que ia acontecer. Com um estrondo ensurdecedor, o teatro desmoronou-se e apenas o esqueleto de metal permaneceu intacto, despido. Uma teia de aranha de alumínio estendida sobre um inferno. No centro, erguia-se Kolvenick. Pude ver o rosto de Marina. Estava viva. Portanto fiz a única coisa que a podia salvar.

Peguei no frasco e ergui-o à altura dos olhos de Kolvenick. Afastou Marina do seu corpo e aproximou-a do precipício. Ouvi-a gritar. Depois estendeu a sua garra aberta para o vazio. A mensagem era clara. À minha frente estendia-se uma viga como uma ponte. Avancei para ela.

– Óscar, não! – suplicou Marina.

Cravei os olhos na estreita passarela e aventurei-me. Senti a sola dos meus sapatos desfazer-se a cada passo. O vento asfixiante que subia do fogo rugia à minha volta. Passo a passo, sem afastar os olhos da passarela, como um equilibrista. Olhei em frente e descobri uma Marina aterrada. Estava só! Quando a ia abraçar, Kolvenick surgiu atrás dela. Agarrou-a de novo e segurou-a sobre o vazio. Peguei no frasco e fiz o mesmo, dando-lhe a entender que o lançaria nas chamas se não a soltasse. Recordei as palavras de Eva Irinova: «Matar-vos-á aos dois...» Portanto, abri o frasco e deixei cair algumas gotas no abismo. Kolvenick lançou Marina de encontro a uma estátua de bronze e avançou para mim. Saltei para me esquivar dele e o frasco resvalou-me entre os dedos.

O soro evaporava-se ao contacto com o metal incandescente. A garra de Kolvenick deteve-o quando apenas restavam já umas gotas no seu interior. Kolvenick fechou o punho de metal sobre o frasco e desfê-lo. Umas gotas esmeralda soltaram-se dos seus dedos. As chamas iluminaram-lhe o rosto, um poço de ódio e raiva incontroláveis. Então começou a avançar para nós. Marina agarrou-me as mãos e apertou-as com força. Fechou os olhos e eu fiz o mesmo. Senti o cheiro putrefacto de Kolvenick a uns centímetros e preparei-me para sentir o impacte.

O primeiro tiro passou a assobiar por entre as chamas. Abri os olhos e vi a silhueta de Eva Irinova avançando como eu fizera. Segurava o revólver levantado. Uma rosa de sangue negro abriu-se no peito de Kolvenick. O segundo tiro, mais próximo, destroçou-lhe uma das mãos. O terceiro atingiu-o no ombro. Afastei Marina dali. Kolvenick voltou-se para Eva, a cambalear. A dama de negro avançava lentamente. A sua arma fazia pontaria para ele sem piedade. Ouvi Kolvenick gemer. O quarto tiro abriu-lhe um buraco no ventre. O quinto e último desenhou-lhe um orifício negro entre os olhos. Um segundo mais tarde, Kolvenick caiu de joelhos. Eva Irinova deixou cair a pistola e correu para junto dele.

Rodeou-o com os braços e embalou-o. Os olhos de ambos encontraram-se de novo e pude ver que ela acariciava aquele rosto monstruoso. Chorava.

– Leva a tua amiga daqui – disse sem olhar para mim.

Assenti. Guiei Marina pela passarela até à cornija do edifício. Dali, conseguimos chegar até aos telhados do anexo e pormo-nos a salvo do fogo. Antes de a perder de vista, voltámo-nos. A dama de negro envolvia Mikhail Kolvenick no seu abraço. As suas silhuetas recortaram-se entre as chamas até que o fogo as envolveu por completo. Julguei ver o rasto das suas cinzas a espalhar-se ao vento, flutuando sobre Barcelona até que o amanhecer as levou para sempre.

No dia seguinte, os jornais falaram do maior incêndio na história da cidade, da velha história do Gran Teatro Real e de como o seu desaparecimento apagava os últimos ecos de uma Barcelona perdida. As cinzas tinham estendido um manto sobre as águas do porto. Continuariam a cair sobre a cidade até ao crepúsculo. Fotografias tiradas de Montjuïc ofereciam a visão dantesca de uma pira infernal que ascendia ao céu. A tragédia adquiriu um novo rosto quando a polícia revelou que suspeitava que o edifício fora ocupado por indigentes e que alguns deles tinham ficado presos nos escombros. Nada se sabia acerca da identidade dos corpos carbonizados que foram encontrados abraçados no topo da cúpula. A verdade, como predissera Eva Irinova, estava a salvo das pessoas.

Nenhum jornal mencionou a velha história de Eva Irinova e de Mikhail Kolvenick. A ninguém interessava já. Recordo aquela manhã com Marina em frente de um dos quiosques das Ramblas. A primeira página de *La Vanguardia* abria a cinco colunas:

BARCELONA A ARDER!

Curiosos e madrugadores apressavam-se a comprar a primeira edição, interrogando-se sobre quem esmaltara o céu de prata. Lentamente, afastámo-nos para a Plaza Cataluña, enquanto as cinzas continuavam a chover à nossa volta como flocos de neve morta.

Capítulo 25

Nos dias que se seguiram ao incêndio do Gran Teatro Real, uma vaga de frio abateu-se sobre Barcelona. Pela primeira vez em muitos anos, um manto de neve cobriu a cidade desde o porto ao cimo do Tibidabo. Marina e eu, em companhia de Germán, passámos um Natal de silêncios e olhares esquivos. Marina quase não mencionava o que acontecera e comecei a notar que evitava a minha companhia e preferia retirar-se para o seu quarto e escrever. Eu matava as horas jogando com Germán intermináveis partidas de xadrez na grande sala, ao calor da lareira. Via nevar e esperava o momento de ficar a sós com Marina. Um momento que nunca chegava.

Germán fingia não notar o que se passava e procurava animar-me conversando comigo.

– Marina diz que você quer ser arquitecto, Óscar.

Eu assentia, sem saber já o que realmente desejava. Passava as noites acordado, reajustando as peças da história que tínhamos vivido. Tentei afastar da minha memória o fantasma de Kolvenick e Eva Irinova. Em mais de uma ocasião pensei em visitar o velho doutor Shelley para lhe contar o ocorrido. Faltou-me coragem para enfrentá-lo e explicar-lhe como vira morrer a mulher que criara como filha ou como vira arder o seu melhor amigo.

No último dia do ano, a fonte do jardim gelou. Receei que os meus dias com Marina estivessem a chegar ao fim. Em breve teria de regressar ao internato. Passámos a noite da Passagem do Ano à luz das velas, ouvindo os sinos distantes da igreja da Plaza Sarriá. Lá fora continuava a nevar e pareceu-me que as estrelas tinham caído do céu sem avisar. À meia-noite, brindámos entre sussurros. Procurei os olhos de Marina, mas o seu rosto retirou-se para a penumbra. Naquela noite tentei analisar o que fizera ou dissera para merecer aquele tratamento. Podia sentir a presença de Marina no quarto contíguo. Imaginava-a acordada, uma ilha que se afastava na corrente. Bati na parede com os nós dos dedos. Bati em vão. Não obtive resposta.

Embalei as minhas coisas e escrevi um bilhete. Despedia-me nele de Germán e Marina e agradecia-lhes a sua hospitalidade. Quebrara-se algo que não sabia explicar e sentia que estava a mais ali. Ao amanhecer, deixei o bilhete em cima da mesa da cozinha e segui rumo ao internato. Ao afastar-me, tive a certeza de que Marina me observava da sua janela. Disse adeus com a mão, esperando que estivesse a ver-me. Os meus passos deixaram um rasto sobre a neve nas ruas desertas.

Ainda faltavam uns dias para que regressassem os outros internos. Os quartos do quarto andar eram lagunas de solidão. Enquanto desfazia a minha bagagem, o padre Seguí fez-me uma visita. Cumprimentei-o com uma cortesia formal e continuei a arrumar a minha roupa.

– Curiosa gente, os suíços – disse. – Enquanto os outros ocultam os seus pecados, eles embrulham-nos em papel de prata com licor, um laço e vendem-nos ao preço do ouro. O prefeito enviou-me de Zurique uma caixa imensa de bombons e não há aqui ninguém com quem a partilhar. Alguém vai ter de me dar uma mão antes que a dona Paula os descubra...

– Conte comigo – ofereci-me, sem convicção.

Seguí aproximou-se da janela e contemplou a cidade a nossos pés, uma miragem. Voltou-se e observou-me como se pudesse ler os meus pensamentos.

– Um bom amigo disse-me uma vez que os problemas são como as baratas – era o tom de brincadeira que usava quando queria falar a sério. – Se surgem à luz, assustam-se e vão-se embora.

– Devia ser um amigo sábio – disse eu.

– Não – contrapôs Seguí. – Mas era um bom homem. Feliz ano novo, Óscar.

– Feliz ano novo, padre.

Passei aqueles dias até ao recomeço das aulas quase sem sair do meu quarto. Tentava ler, mas as palavras voavam das páginas. Consumia as horas à janela, contemplando o casarão de Germán e Marina ao longe. Mil vezes pensei em voltar e mais do que uma me aventurei até à entrada do beco que ia dar ao seu gradeamento. Já não se ouvia o gramofone de Germán entre as árvores, apenas o vento entre os ramos despidos. À noite, revivia uma e outra vez os acontecimentos das últimas semanas até cair exausto num sono sem repouso, febril e asfixiante.

As aulas começaram uma semana mais tarde. Eram dias de chumbo, de janelas embaciadas de vapor e de radiadores que gotejavam na penumbra. Os meus antigos companheiros e as suas tagarelices eram-me estranhos. Conversas de presentes, festas e recordações que não podia nem queria partilhar. As vozes dos meus professores escapavam-me. Não conseguia descobrir que importância tinham as elucubrações de Hume ou o que podiam fazer as equações derivadas para atrasar o relógio e alterar a sorte de Mikhail Kolvenick e de Eva Irinova. Ou a minha própria sorte.

A recordação de Marina e dos arrepiantes factos que tínhamos partilhado impedia-me de pensar, comer ou manter uma conversa coerente. Ela era a única pessoa com quem queria partilhar a minha angústia e a necessidade da sua presença chegou a doer-me fisicamente. Queimava-me por dentro e nada nem ninguém me conseguia aliviar. Transformei-me numa figura cinzenta nos corredores. A minha sombra confundia-se com as paredes. Os dias caíam como folhas mortas. Esperava receber um bilhete de Marina, um sinal de que desejava ver-me de novo. Uma simples desculpa para correr para junto dela e quebrar aquela distância que nos separava e que parecia crescer de dia para dia. Nunca chegou. Queimei as horas percorrendo os lugares em que estivera com Marina. Sentava-me nos bancos da Plaza Sarriá esperando vê-la passar…

No fim de Janeiro, o padre Seguí chamou-me ao seu gabinete. Com semblante sombrio e um olhar penetrante, perguntou-me o que se estava a passar comigo.

– Não sei – respondi.

– Talvez se falássemos disso pudéssemos averiguar de que se trata – ofereceu Seguí.

– Não creio – disse com uma brusquidão de que logo me arrependi.

– Passaste uma semana fora do internato neste Natal. Posso perguntar onde?

– Com a minha família.

O olhar do meu tutor cobriu-se de sombras.

– Se me vais mentir, não tem sentido continuarmos esta conversa, Óscar.

– É verdade – disse –, estive com a minha família...

Fevereiro trouxe consigo o Sol. As luzes do Inverno fundiram aquele manto de gelo e geada que mascarara a cidade. Isso animou-me e um sábado apresentei-me em casa de Marina. Uma corrente garantia que o gradeamento se mantivesse fechado. Para além das árvores, a velha mansão parecia mais abandonada do que nunca. Por um instante julguei ter perdido a razão. Imaginara tudo? Os habitantes daquela residência fantasmagórica, a história de Kolvenick e da dama de negro, o inspector Florián, Luis Claret, as criaturas ressuscitadas... personagens que a mão negra do destino fizera desaparecer uma a uma... Teria sonhado Marina e a sua praia encantada?

«Apenas recordamos o que nunca aconteceu...»

Naquela noite acordei a gritar, envolto em suor frio e sem saber onde estava. Voltara em sonhos aos túneis de Kolvenick. Seguia Marina sem a poder alcançar até que a descobria coberta por um manto de borboletas negras; no entanto, quando estas levantavam voo, não deixavam atrás de si mais do que o vazio. Frio. Sem explicação. O demónio destruidor que obcecava Kolvenick. O nada depois da última escuridão.

Quando o padre Seguí e o meu companheiro JF chegaram ao meu quarto alertados pelos meus gritos, demorei uns segundos a reconhecê-los. Seguí tomou-me o pulso enquanto JF me observava, consternado, convencido de que o amigo tinha perdido por completo a razão. Não saíram de junto de mim enquanto eu não adormeci de novo.

No dia seguinte, depois de dois meses sem ver Marina, decidi voltar ao casarão de Sarriá. Não desistiria enquanto não obtivesse uma explicação.

Capítulo 26

Era um domingo enevoado. As sombras das árvores, com os seus ramos secos, desenhavam figuras esqueléticas. Os sinos da igreja marcaram o compasso dos meus passos. Parei em frente do gradeamento que me impedia a entrada. Notei, no entanto, marcas de pneus sobre a camada de folhas do chão e interroguei-me se Germán voltara a tirar o seu velho *Tucker* da garagem. Entrei como um ladrão saltando o gradeamento e avancei pelo jardim.

A silhueta do casarão erguia-se em completo silêncio, mais escura e desolada do que nunca. Entre o mato distingui a bicicleta de Marina, caída como um animal ferido. A corrente estava enferrujada, o guiador carcomido pela humidade. Contemplei aquele cenário e tive a impressão de estar em frente de uma ruína onde não viviam senão velhos móveis e ecos invisíveis.

– Marina? – chamei.

O vento levou a minha voz. Dei a volta à casa procurando a porta traseira que comunicava com a cozinha. Estava aberta. A mesa, vazia e coberta por uma camada de pó. Entrei nos quartos. Silêncio. Cheguei ao grande salão dos quadros. A mãe de Marina olhava-me de todos eles, mas para mim eram os olhos de Marina... Foi então que ouvi um choro atrás de mim.

Germán estava encolhido numa das poltronas, imóvel como uma estátua, apenas as lágrimas persistiam no seu movimento.

Nunca vira um homem da sua idade chorar assim. Gelou-se-me o sangue. O olhar perdido nos retratos. Estava pálido. Emagrecido. Envelhecera desde que o vira pela última vez. Vestia um dos fatos de cerimónia de que me lembrava, mas enrugado e sujo. Perguntei a mim mesmo há quantos dias estaria assim. Quantos dias naquela poltrona.

Ajoelhei à frente dele e bati-lhe na mão.

– Germán…

A mão estava tão fria que me assustou. De súbito, o pintor abraçou-se a mim, tremendo como uma criança. Senti que ficava com a boca seca. Abracei-o também e amparei-o enquanto chorava no meu ombro. Receei então que os médicos lhe tivessem anunciado o pior, que a esperança daqueles meses se tivesse desvanecido, e deixei-o desabafar enquanto me interrogava sobre onde estaria Marina, por que não estava ali com Germán…

Então o ancião ergueu a vista. Bastou-me olhá-lo nos olhos para compreender a verdade. Entendi-a com a brutal clareza com que se dissipam os sonhos. Como um punhal frio e envenenado que se crava irremediavelmente na alma.

– Onde está Marina? – perguntei, quase a balbuciar.

Germán não conseguiu articular uma única palavra. Não era preciso. Soube pelos seus olhos que as visitas de Germán ao hospital de San Pablo eram falsas. Soube que o médico de La Paz nunca visitara o pintor. Soube que a alegria e a esperança de Germán ao regressar de Madrid nada tinham a ver com ele. Marina enganara-me desde o princípio.

– O mal que levou a mãe… – murmurou Germán – leva-a a ela, amigo Óscar, leva a minha Marina…

Senti que as pálpebras se me fechavam como lousas e que, lentamente, o mundo se desfazia à minha volta. Germán abraçou-me outra vez e ali, naquela sala desolada de um velho casarão, chorei com ele como um pobre imbecil, enquanto a chuva começava a cair sobre Barcelona.

Do táxi, o hospital de San Pablo pareceu-me uma cidade suspensa nas nuvens, todo torres aguçadas e cúpulas impossíveis. Germán vestira um fato limpo e viajava a meu lado em silêncio. Eu segurava um embrulho envolto no papel de prenda mais reluzente que pudera encontrar. Ao chegar, o médico que acompanhava Marina, um tal Damián Rojas, observou-me de cima a baixo e deu-me uma série de instruções. Não devia cansar Marina. Devia mostrar-me positivo e optimista. Era ela quem precisava da minha ajuda e não o contrário. Não ia ali chorar nem lamentar-me. Ia ajudá-la. Se não era capaz de seguir aquelas normas, mais valia não me incomodar a voltar. Damián Rojas era um médico novo e a bata cheirava ainda a faculdade. O seu tom era severo e impaciente e foi muito pouco delicado comigo. Noutras circunstâncias, tê-lo-ia considerado um cretino arrogante, mas algo nele me dizia que ainda não aprendera a isolar-se da dor dos seus pacientes e que aquela atitude era a sua maneira de sobreviver.

Subimos ao quarto andar e avançámos por um longo corredor que parecia não ter fim. Cheirava a hospital, uma mescla de doença, desinfectante e ambientador. A pouca coragem que me restava no corpo escapou-me numa exalação logo que pus um pé naquela ala do edifício. Germán entrou primeiro no quarto. Pediu-me que esperasse fora enquanto anunciava a Marina a minha visita. Tinha a intuição de que Marina preferiria que eu não a visse ali.

– Deixe-me falar primeiro com ela, Óscar.

Esperei. O corredor era uma galeria infinita de portas e vozes perdidas. Rostos carregados de dor e perda cruzavam-se em silêncio. Repeti para mim próprio diversas vezes as instruções do doutor

Rojas. Viera para ajudar. Por fim, Germán assomou à porta e fez-me sinal de aquiescência. Engoli em seco e entrei. Germán ficou cá fora.

O quarto era um longo rectângulo onde a luz se evaporava antes de tocar no chão. Das janelas, a avenida de Gaudí estendia-se até ao infinito. As torres do templo da Sagrada Família cortavam o céu a meio. Havia quatro camas separadas por ásperas cortinas. Através delas podíamos ver as silhuetas dos outros visitantes, como num espectáculo de sombras chinesas. Marina ocupava a última cama à direita, junto à janela.

O mais difícil foi aguentar o seu olhar nos primeiros momentos. Tinham-lhe cortado o cabelo curto como o de um rapaz. Sem a longa cabeleira, Marina pareceu-me humilhada, despida. Mordi a língua com força para segurar as lágrimas que me subiam desde a alma.

– Tiveram de mo cortar... – disse, adivinhando. – Por causa dos exames.

Vi que tinha marcas no pescoço e na nuca que só de olhar doíam. Procurei sorrir e estendi-lhe o embrulho.

– Eu gosto – comentei, como cumprimento.

Aceitou o embrulho e pousou-o no colo. Aproximei-me e sentei-me a seu lado em silêncio. Agarrou-me na mão e apertou-ma com força. Perdera peso. Podiam adivinhar-se-lhe as costelas por baixo da camisa branca do hospital. Desenhavam-se dois círculos escuros sob os seus olhos. Os lábios eram duas linhas finas e ressequidas. Os olhos cor de cinza já não brilhavam. Com mãos trémulas, abriu o embrulho e tirou o livro de dentro. Folheou-o e ergueu os olhos para mim, intrigada.

– Todas as páginas estão em branco...

– De momento – repliquei eu. – Temos uma boa história para contar, e a minha especialidade são os azulejos.

Apertou o livro de encontro ao peito.

– Como achas Germán? – perguntou-me.

– Bem – menti. – Cansado, mas bem.

– E tu, como estás?

– Eu?

– Não, eu. Quem havia de ser?

– Eu estou bem.

– Pois, sobretudo depois do discurso do sargento Rojas...

Levantei as sobrancelhas, como se não fizesse a mínima ideia do que estava a falar.

– Tive saudades tuas – disse.

– Eu também.

As nossas palavras ficaram suspensas no ar. Durante um longo momento olhámo-nos em silêncio. Vi como a fachada de Marina se ia desmoronando.

– Tens o direito de me odiar – disse então.

– Odiar-te? Por que havia de te odiar?

– Menti-te – disse Marina. – Quando vieste devolver o relógio de Germán já sabia que estava doente. Fui egoísta, quis ter um amigo... e creio que nos perdemos pelo caminho.

Desviei o olhar para a janela.

– Não, não te odeio.

Apertou-me de novo a mão. Marina soergueu-se e abraçou-me.

– Obrigada por seres o melhor amigo que jamais tive – sussurrou ao meu ouvido.

Senti cortar-se-me a respiração. Quis sair a correr dali. Marina apertou-me com força e rezei pedindo que não notasse que eu estava a chorar. O doutor Rojas ia tirar-me o passe de entrada.

– Se me odeias só um bocadinho, o doutor Rojas não se aborrecerá – disse então. – Com certeza que faz bem aos glóbulos brancos, ou qualquer coisa do género.

– Então, só um bocadinho.

– Obrigada.

Capítulo 27

Nas semanas seguintes, Germán Blau tornou-se no meu melhor amigo. Logo que acabavam as aulas no internato, às cinco e meia da tarde, corria a reunir-me com o velho pintor. Apanhávamos um táxi até ao hospital e passávamos a tarde com Marina até que as enfermeiras nos corriam dali. Naqueles passeios desde Sarriá à avenida de Gaudí aprendi que Barcelona pode ser a cidade mais triste do mundo no Inverno. As histórias de Germán e as suas recordações passaram a ser as minhas.

Nas longas esperas nos corredores desolados do hospital, Germán confessou-me intimidades que não partilhara com ninguém além da esposa. Falou-me dos anos com o seu mestre Salvat, do seu casamento e de como apenas a companhia de Marina lhe permitira sobreviver à perda da mulher. Falou-me das suas dúvidas e dos seus medos, de como uma vida inteira lhe ensinara que aquilo que tinha como certo era uma simples ilusão e que havia demasiadas lições que não valia a pena aprender. Também eu falei com ele sem entraves pela primeira vez, falei-lhe de Marina, dos meus sonhos como futuro arquitecto, de uns dias em que deixara de acreditar no futuro. Falei-lhe da minha solidão e de como até os encontrar tivera a sensação de estar perdido no mundo por acaso. Falei-lhe do meu medo de voltar a estar sozinho se os perdesse. Germán ouvia-me e entendia-me. Sabia que as minhas palavras não passavam de uma tentativa para tornar claros os meus próprios sentimentos e deixava-me falar.

Guardo uma recordação especial de Germán Blau e dos dias que partilhámos na sua casa e nos corredores do hospital. Ambos sabíamos que só nos unia Marina e que, noutras circunstâncias, nunca teríamos sequer chegado a trocar uma palavra. Sempre acreditei que Marina chegou a ser quem era graças a ele e não tenho a menor dúvida de que o pouco que sou lho devo também a ele, mais do que gosto de admitir. Conservo os seus conselhos e palavras guardados à chave no cofre da minha memória, convencido de que um dia me servirão para responder aos meus próprios medos e às minhas próprias dúvidas.

Naquele mês de Março choveu quase todos os dias. Marina escrevia a história de Kolvenick e de Eva Irinova no livro que lhe oferecera, enquanto dezenas de médicos e auxiliares iam e vinham com exames, análises e mais exames e mais análises. Foi nessa altura que me lembrei da promessa que fizera a Marina numa ocasião, no funicular de Vallvidrera, e comecei a trabalhar na catedral. A sua catedral. Consegui na biblioteca do internato um livro sobre a catedral de Chartres e comecei a desenhar as peças do modelo que pensava construir. Primeiro recortei-as em cartolina. Depois de mil tentativas, que quase me convenceram de que nunca seria capaz de desenhar uma simples cabina de telefone, encarreguei um carpinteiro da Calle Margenat de recortar as minhas peças em placas de madeira.

– O que estás a construir, rapaz? – perguntava-me, intrigado. – Um radiador?

– Uma catedral.

Marina observava-me com curiosidade enquanto erigia a sua pequena catedral no parapeito da janela. Às vezes, dizia piadas que não me deixavam dormir durante dias.

– Não estás a fazer isso com muita pressa, Óscar? – perguntava. – É como se esperasses que eu fosse morrer amanhã.

A minha catedral em breve começou a tornar-se popular entre os outros doentes do quarto e os seus visitantes. Dona Carmen, uma sevilhana de oitenta e quatro anos que ocupava a cama do lado, lançava-me olhares de cepticismo. Tinha uma personalidade capaz de destruir exércitos e um traseiro do tamanho de um *600*[1]. Fazia andar o pessoal do hospital a toque de caixa. Fora especuladora, cantora de *coplas, bailaora,* contrabandista, cozinheira, empregada de tabacaria e sabe Deus que mais. Enterrara dois maridos e três filhos. Uma vintena de netos, sobrinhos e outros parentes vinham vê-la e adorá-la. Ela punha-os na linha dizendo que tolices eram para os parvos. A mim sempre me pareceu que dona Carmen estava no século errado e que, se tivesse sido há séculos, Napoleão não teria passado dos Pirenéus. Todos os presentes, excepto a diabetes, éramos da mesma opinião.

No outro lado do quarto estava Isabel Llorente, uma senhora com ar de manequim, que falava em sussurros e que parecia saída de uma revista de moda de antes da guerra. Passava o dia a maquilhar-se e a olhar-se a um pequeno espelho ajeitando a peruca. A quimioterapia deixara-a como uma ameixa seca, mas ela estava convencida de que ninguém sabia. Fui informado de que fora Miss Barcelona em 1934 e a amada de um alcaide da cidade. Falava-nos sempre de um romance com um admirável espião que a qualquer momento voltaria para a vir tirar daquele horrível lugar onde a tinham metido.

[1] *600* – automóvel utilitário muito em moda nas décadas de 1960 e 70. (*N. da T.*)

Dona Carmen punha os olhos em alvo de cada vez que a ouvia. Nunca ninguém a visitava e bastava dizer-lhe que estava bonita para sorrir uma semana. Uma tarde de quinta-feira, no final de Março, chegámos ao quarto e encontrámos a sua cama vazia. Isabel Llorente morrera naquela manhã, sem dar tempo a que o seu galã a resgatasse.

A outra paciente do quarto era Valeria Astor, uma menina de nove anos que respirava graças a uma traqueotomia. Sorria-me sempre quando eu entrava. A mãe passava todas as horas que lhe permitiam ao lado dela e, quando não a deixavam, dormia nos corredores. Cada dia envelhecia um mês. Valeria perguntava-me sempre se a minha amiga era escritora e eu dizia-lhe que sim, e que, além disso, era famosa. Uma vez perguntou-me – nunca saberei porquê – se eu era polícia. Marina costumava contar-lhe histórias que inventava no momento. As suas favoritas eram as de fantasmas, princesas e locomotivas, por esta ordem. Dona Carmen ouvia as histórias de Marina e ria com vontade. A mãe de Valeria, uma mulher consumida e simples até ao desespero, de cujo nome nunca me consegui lembrar, tricotou um xaile de lã para Marina, em agradecimento.

O doutor Damián Rojas passava várias vezes ao dia por ali. Com o tempo, aquele médico acabou por ser-me simpático. Descobri que fora aluno do meu internato anos antes e que estivera prestes a tornar-se seminarista. Tinha uma noiva deslumbrante que se chamava Lulú. Lulú exibia uma colecção de minissaias e meias de seda pretas que cortavam a respiração. Visitava-o todos os sábados e com frequência passava para nos cumprimentar e perguntar se o bruto do seu noivo se portava bem. Eu ficava sempre vermelho como um tomate quando Lulú me dirigia a palavra. Marina fazia troça de mim e costumava dizer que, se continuasse a olhá-la tanto, ia ficar com cara de engatatão. Lulú e o doutor Rojas casaram em Abril. Quando o médico voltou da sua breve lua-de-mel em

Minorca, uma semana depois, estava um palito. As enfermeiras partiam-se a rir só de olhar para ele.

Durante uns meses, aquele foi o meu mundo. As aulas do internato eram um interlúdio que passava em branco. Rojas mostrava-se optimista sobre o estado de Marina. Dizia que era forte, jovem, e que o tratamento estava a dar resultado. Germán e eu não sabíamos como agradecer-lhe. Oferecíamos-lhe charutos, gravatas, livros e até uma caneta *Mont Blanc*. Ele protestava e argumentava que apenas fazia o seu trabalho, mas ambos sabíamos que passava mais horas do que qualquer outro médico ali no andar.

No fim de Abril Marina ganhou um pouco de peso e de cor. Dávamos pequenos passeios pelo corredor e, quando o frio começou a emigrar, saíamos um bocado até ao claustro do hospital. Marina continuava a escrever no livro que lhe oferecera, embora não me deixasse ler uma linha sequer.

– Onde vais? – perguntava eu.

– É uma pergunta tonta.

– Os tontos fazem perguntas tontas. Os espertos respondem-lhes. Onde vais?

Nunca me dizia. Intuía que escrever a história que vivêramos juntos tinha para ela um significado especial. Num dos nossos passeios pelo claustro disse-me uma coisa que me deixou com pele de galinha.

– Promete-me que, se me acontecer qualquer coisa, acabarás tu a história.

– Acabá-la-ás tu – repliquei – e, além disso, terás de ma dedicar.

Entretanto, a pequena catedral de madeira crescia e, embora dona Carmen dissesse que fazia lembrar o incinerador de lixo de San Adrián del Besós, nessa altura a agulha da cúpula já se evidenciava perfeitamente. Germán e eu começámos a fazer planos para levar Marina em excursão ao seu lugar favorito, aquela praia secreta entre Tossa e Sant Feliu de Guíxols, logo que pudesse sair dali. O doutor Rojas, sempre prudente, indicou-nos como data provável meados de Maio.

Naquelas semanas aprendi que se pode viver de esperança e pouco mais.

O doutor Rojas era partidário de que Marina passasse o máximo tempo possível a andar e a fazer exercício pelo recinto do hospital.

– Arranjar-se um pouco far-lhe-á bem – disse.

Desde que estava casado, Rojas transformara-se num perito em questões femininas, ou pelo menos assim julgava. Um sábado encarregou-me junto com a esposa Lulú de comprar um roupão de seda para Marina. Era um presente e pagou-o do seu próprio bolso. Acompanhei Lulú a uma loja de roupa interior feminina na Rambla de Cataluña, ao lado do Cinema Alexandra. As empregadas conheciam-na. Segui Lulú por todo o estabelecimento, observando-a a apreciar um sem-número de peças de roupa interior que punham a imaginação de qualquer um a mil à hora. Aquilo era infinitamente mais estimulante do que o xadrez.

– A tua namorada gostará disto? – perguntava-me Lulú, lambendo os lábios incendiados de batom.

Não lhe disse que Marina não era a minha namorada. Orgulhava-me que alguém pudesse acreditar que era. Além disso, a experiência de comprar roupa interior de senhora com Lulú era tão embriagadora que me limitei a concordar com tudo como um parvo. Quando expliquei isso a Germán, riu com vontade e confessou-me que ele também achava a mulher do doutor extremamente perigosa para a saúde. Era a primeira vez, em meses, que o via rir.

Numa manhã de sábado, enquanto nos preparávamos para ir ao hospital, Germán pediu-me que subisse ao quarto de Marina para ver se era capaz de encontrar um frasco do seu perfume favorito. Enquanto procurava nas gavetas da cómoda, encontrei uma folha de papel dobrada no fundo. Abri-a e reconheci de imediato a caligrafia de Marina. Falava de mim. Estava cheia de rasuras e de parágrafos apagados. Só tinham sobrevivido estas linhas:

O meu amigo Óscar é um desses príncipes sem reino que correm por aí esperando que os beijemos para se transformarem em sapo. Entende tudo ao contrário e por isso gosto tanto dele. As pessoas que pensam que entendem tudo à direita fazem as coisas à esquerda, e isso, vindo de uma canhota, diz tudo. Olha para mim e julga que não vejo. Imagina que me evaporarei se me tocar e que, se não o fizer, vai evaporar-se ele. Tem-me num pedestal tão alto que não sabe como subir até lá. Pensa que os meus lábios são a porta do paraíso, mas não sabe que estão envenenados. Eu sou tão cobarde que, para não o perder, não lho digo. Finjo que não o vejo e que sim, que me vou evaporar...

O meu amigo Óscar é um desses príncipes que fariam bem em manter-se afastados das histórias e das princesas que os habitam. Não sabe que é o príncipe azul que tem de beijar a bela adormecida para que ela acorde do seu sono eterno, mas isso é porque o Óscar ignora que todas as histórias são mentiras, embora nem todas as mentiras sejam histórias. Os príncipes não são azuis e as adormecidas, mesmo sendo belas, nunca despertam do seu sono. É o melhor amigo que jamais tive e, se algum dia tropeçar com Merlim, agradecer-lhe-ei por o ter feito atravessar o meu caminho.

Guardei a folha e desci para me juntar a Germán. Pusera uma gravata especial e estava mais animado do que nunca. Sorriu-me e devolvi-lhe o sorriso. Naquele dia, durante o caminho de táxi resplandecia o sol. Barcelona engalanava-se e encantava turistas e nuvens, e também estas paravam a olhá-la. Nada disso conseguiu apagar a inquietação que aquelas linhas tinham cravado na minha mente. Era o primeiro dia de Maio de 1980.

Capítulo 28

Naquela manhã encontrámos a cama de Marina vazia, sem lençóis. Não havia rasto da catedral de madeira nem das suas coisas. Quando me voltei, Germán já ia a sair em busca do doutor Rojas. Fui atrás dele. Encontrei-o no seu gabinete com aspecto de não ter dormido.

– Teve uma quebra – disse secamente.

Explicou-nos que na noite anterior, poucas horas depois de termos ido embora, Marina sofrera uma insuficiência respiratória e que o seu coração estivera parado trinta e quatro segundos. Tinham-na reanimado e agora estava na unidade de cuidados intensivos, inconsciente. O seu estado era estável e Rojas confiava que pudesse sair da unidade em menos de vinte e quatro horas, embora não nos quisesse dar falsas esperanças. Observei que as coisas de Marina, o livro, a catedral de madeira e aquele roupão que não chegara a estrear estavam na prateleira do seu gabinete.

– Posso ver a minha filha? – perguntou Germán.

Rojas acompanhou-nos pessoalmente à UCI. Marina estava ligada a uma massa de tubos e máquinas de aço mais monstruosa e mais real do que qualquer das invenções de Mikhail Kolvenick. Jazia como um simples pedaço de carne amparada por magias de latão. E então vi o verdadeiro rosto do demónio que atormentava Kolvenick e compreendi a sua loucura.

Recordo que Germán desatou a chorar e que uma força incontrolável me fez fugir daquele lugar. Corri e corri já sem fôlego até chegar a umas ruidosas ruas repletas de rostos anónimos que ignoravam o meu sofrimento. Vi à minha volta um mundo que não se importava nada com a sorte de Marina. Um universo em que a sua vida era uma simples gota de água no meio das ondas. Só me veio à mente um lugar para onde ir.

O velho edifício das Ramblas continuava no seu poço de escuridão. O doutor Shelley abriu a porta sem me reconhecer. O chão estava coberto de entulho e cheirava a velho. O médico olhou-me com olhos arregalados, ausentes. Acompanhei-o ao seu estúdio e fi-lo sentar junto da janela. A ausência de María flutuava no ar e queimava. Toda a altivez e o mau feitio do médico se tinham desvanecido. Nele não restava mais do que um pobre velho, só e desesperado.

– Levou-a – disse-me –, levou-a...

Esperei com respeito que se acalmasse. Por fim ergueu os olhos e identificou-me. Perguntou-me o que queria e eu disse-lhe. Observou-me pausadamente.

– Não há mais nenhum frasco do soro de Mikhail. Foram destruídos. Não te posso dar o que não tenho. Mas se tivesse, far-te-ia um fraco favor. E tu cometerias um erro ao usá-lo com a tua amiga. O mesmo erro que cometeu Mikhail...

Demorei a compreender as suas palavras. Só temos ouvidos para o que queremos ouvir, e eu não queria ouvir aquilo. Shelley sustentou o meu olhar sem pestanejar. Suspeitei que reconhecera o meu desespero e as recordações que lhe trazia assustavam-no. Surpreendeu-me a mim mesmo verificar que, se dependesse de mim, naquele mesmo instante teria tomado o mesmo caminho de Kolvenick. Nunca mais voltaria a julgá-lo.

– O território dos seres humanos é a vida – disse o médico. – A morte não nos pertence.

Sentia-me terrivelmente cansado. Queria render-me e não sabia a quê. Voltei-me para ir embora. Antes de sair, Shelley chamou-me outra vez.

– Tu estavas lá, não é verdade? – perguntou-me.

Assenti.

– María morreu em paz, doutor.

Vi os seus olhos a brilhar de lágrimas. Estendeu-me a mão e apertei-lha.

– Obrigado.

Nunca mais voltei a vê-lo.

No fim daquela mesma semana, Marina recuperou a consciência e saiu da UCI. Instalaram-na num quarto do segundo andar que dava para Horta. Estava só. Já não escrevia no seu livro e mal se podia inclinar para ver a sua catedral quase terminada na janela. Rojas pediu autorização para realizar uma última bateria de exames. Germán consentiu. Ele ainda conservava a esperança. Quando Rojas nos anunciou os resultados no seu gabinete, a voz falhou-lhe. Depois de meses de luta, vergou-se à evidência enquanto Germán o amparava e dava palmadinhas nos ombros.

– Não posso fazer mais nada... não posso fazer mais nada... Perdoem-me... – gemia Damián Rojas.

Dois dias mais tarde, levámos Marina de volta a Sarriá. Os médicos já não podiam fazer nada por ela. Despedimo-nos de dona Carmen, de Rojas e de Lulú, que não parava de chorar. A pequena

Valeria perguntou-me para onde levávamos a minha namorada, a escritora famosa que já não lhe contaria mais histórias.

– Para casa. Levamo-la para casa.

Deixei o internato numa segunda-feira, sem avisar nem dizer a ninguém para onde ia. Nem sequer pensei que notariam a minha falta. Pouco me importava. O meu lugar era junto de Marina. Instalámo-la no seu quarto. A catedral, já terminada, acompanhava-a na janela. Aquele foi o melhor edifício que jamais construí. Germán e eu fazíamos turnos para a acompanhar as vinte e quatro horas do dia. Rojas dissera-nos que não sofreria, que se apagaria lentamente como uma chama ao vento.

Nunca Marina me pareceu mais bonita do que naqueles últimos dias no casarão de Sarriá. O cabelo voltara a crescer, mais brilhante do que antes, com madeixas brancas de prata. Até os olhos estavam mais luminosos. Eu quase não saía do quarto dela. Queria saborear cada hora e cada minuto que me restava a seu lado. Passávamos com frequência horas abraçados sem falar, sem nos movermos. Uma noite, era quinta-feira, Marina beijou-me nos lábios e sussurrou-me ao ouvido que me amava e que, acontecesse o que acontecesse, me amaria sempre.

Morreu na madrugada seguinte, em silêncio, tal como previra Rojas. Ao amanhecer, com a primeira luz, Marina apertou-me a mão com força, sorriu ao pai e a chama dos seus olhos apagou-se para sempre.

Fizemos a última viagem com Marina no velho *Tucker*. Germán conduziu em silêncio até à praia, como fizéramos meses antes.

O dia estava tão luminoso que quis crer que o mar que ela tanto amava se vestira de festa para a receber. Estacionámos entre as árvores e descemos até à beira-mar para espalhar as suas cinzas.

Ao regressar, Germán, que estava desfeito por dentro, confessou-me que se sentia incapaz de guiar até Barcelona. Abandonámos o *Tucker* entre os pinheiros. Uns pescadores que passavam pela estrada arranjaram maneira de nos levar até junto da estação de comboio. Quando chegámos à estação de Francia, em Barcelona, há sete dias que eu desaparecera. Parecia-me que tinham passado sete anos.

Despedi-me de Germán com um abraço no cais da estação. Actualmente, desconheço qual foi o seu rumo e a sua sorte. Ambos sabíamos que não poderíamos voltar a olhar-nos nos olhos sem ver neles Marina. Vi-o afastar-se, um risco a desvanecer-se na tela do tempo. Pouco depois, um polícia à paisana reconheceu-me e perguntou-me se o meu nome era Óscar Drai.

Epílogo

A Barcelona da minha juventude já não existe. As suas ruas e a sua luz partiram para sempre e já apenas vivem na recordação. Quinze anos depois regressei à cidade e percorri os cenários que já julgava perdidos na minha memória. Soube que o casarão de Sarriá foi demolido. As ruas que o rodeavam fazem agora parte de uma auto-estrada pela qual, dizem, corre o progresso. O velho cemitério continua lá, suponho, perdido na neblina. Sentei-me naquele banco da praça que tantas vezes partilhara com Marina. Distingui ao longe a silhueta do meu antigo colégio, mas não me atrevi a aproximar-me. Algo me dizia que, se o fizesse, a minha juventude se evaporaria para sempre. O tempo não nos torna mais sábios, apenas mais cobardes.

Durante anos fugi sem saber de quê. Julguei que, se corresse atrás do horizonte, as sombras do passado se afastariam do meu caminho. Julguei que, se criasse suficiente distância, as vozes da minha mente se calariam para sempre. Regressei por fim àquela praia secreta em frente do Mediterrâneo. A ermida de Sant Elm erguia-se ao longe, sempre vigilante. Encontrei o velho *Tucker* do meu amigo Germán. Curiosamente, continua lá, no seu destino final entre os pinheiros.

Desci até à beira-mar e sentei-me na areia, onde anos antes espalhara as cinzas de Marina. A mesma luz daquele dia iluminou o céu e senti a sua presença com intensidade. Compreendi que já não podia nem queria fugir mais. Voltara a casa.

Prometi a Marina nos seus últimos dias que, se ela não o pudesse fazer, eu acabaria esta história. Aquele livro em branco que lhe ofereci acompanhou-me todos estes anos. As suas palavras serão as minhas. Não sei se saberei fazer justiça à minha promessa. Às vezes duvido da minha memória e pergunto a mim mesmo se apenas serei capaz de recordar o que nunca aconteceu.

Marina, levaste todas as respostas contigo.